UDC

中华人民共和国国家标准

P

GB 51070－2014

煤炭矿井防治水设计规范

Code for design of water prevention
and control of coal mine

2014－12－02 发布　　　　2015－08－01 实施

中华人民共和国住房和城乡建设部
中华人民共和国国家质量监督检验检疫总局　联合发布

中华人民共和国国家标准

煤炭矿井防治水设计规范

Code for design of water prevention
and control of coal mine

GB 51070-2014

主编部门:中 国 煤 炭 建 设 协 会
批准部门:中华人民共和国住房和城乡建设部
施行日期:2 0 1 5 年 8 月 1 日

中国计划出版社

2015 北　京

中华人民共和国国家标准

煤炭矿井防治水设计规范

GB 51070-2014

☆

中国计划出版社出版

网址:www.jhpress.com

地址：北京市西城区木樨地北里甲 11 号国宏大厦 C 座 3 层

邮政编码：100038　电话：(010) 63906433（发行部）

新华书店北京发行所发行

三河富华印刷包装有限公司印刷

850mm×1168mm　1/32　3.5印张　89千字

2015 年 7 月第 1 版　2015 年 7 月第 1 次印刷

☆

统一书号：1580242·645

定价：21.00 元

中华人民共和国住房和城乡建设部公告

第 666 号

关于发布国家标准
《煤炭矿井防治水设计规范》的公告

现批准《煤炭矿井防治水设计规范》为国家标准，编号为
GB 51070—2014，自 2015 年 8 月 1 日起实施。其中，第 5.0.7、
6.0.4（1）、8.0.3、10.1.1、11.1.1、11.1.2、11.1.3、
11.2.2、11.2.3、11.3.12、12.0.1、12.0.3、12.0.7、12.0.8、
12.0.15、13.0.7 条（款）为强制性条文，必须严格执行。

本规范由我部标准定额研究所组织中国计划出版社出版发行。

中华人民共和国住房和城乡建设部
2014 年 12 月 2 日

前　　言

本规范是根据住房和城乡建设部《关于印发〈2011年工程建设标准规范制订、修订计划〉的通知》(建标〔2011〕17号)的要求,由中煤科工集团武汉设计研究院有限公司会同有关单位共同编制完成的。

本规范在编制过程中,编制组开展了大量的调查研究及专题论证,认真总结了近年来国内外矿井防治水的设计和现场生产实践经验,采用了矿井防治水方面的新技术、新设备及新的科研成果,广泛征求了有关单位的意见,经反复研究、多次修改,最后经审查定稿。

本规范共分13章和3个附录,主要技术内容包括:总则、术语、基本规定、水文地质及基础资料分析、开拓开采、水体下采煤、探测及探放水、防隔水煤(岩)柱的留设、疏干开采及带压开采、防水闸门与防水闸墙设施、排水系统设计、供配电与控制、地面防治水等。

本规范中以黑体字标志的条文为强制性条文,必须严格执行。

本规范由住房和城乡建设部负责管理和对强制性条文的解释,由中国煤炭建设协会负责日常管理工作,由中煤科工集团武汉设计研究院有限公司负责具体技术内容的解释。本规范在执行过程中,如发现需要修改或补充之处,请将意见和建议寄交中煤科工集团武汉设计研究院有限公司(地址:湖北省武汉市武昌区武珞路442号;邮政编码:430064;传真:027－87717101;电子邮箱:zsl0713@sina.com),以便今后修订时参考。

本规范主编单位、参编单位、主要起草人和主要审查人:

主 编 单 位:中煤科工集团武汉设计研究院有限公司

参 编 单 位:中煤科工集团南京设计研究院有限公司
　　　　　　中煤科工集团重庆设计研究院有限公司
　　　　　　中煤西安设计工程有限责任公司
主要起草人:李书兴　张世良　周秀隆　于新胜　王先锋
　　　　　　张建民　辛德林　张建平　胡家运　周裕枢
　　　　　　饶云普　姚　华　王秋里　陈团团　吴兆吉
　　　　　　于新锋　薛耀兵　李定明　胡仕俸　伍育群
　　　　　　门小莎
主要审查人:耿建平　武　强　赵苏启　付小敏　何建平
　　　　　　李竞生　李奇斌　张晓四　白锦胜　杨庆铭
　　　　　　单　丽　韩学增　张　泊

目　　次

Contents

1 总 则

1.0.1 为了执行国家现行法律、法规和政策,贯彻以人为本、安全、科学发展的理念,坚持"安全第一、预防为主、综合治理"的方针,确保煤炭矿井防治水设计可靠、技术先进、经济合理,保障矿井安全生产,制定本规范。

1.0.2 本规范适用于新建、改建、扩建及生产的煤炭矿井防治水设计。

1.0.3 煤炭矿井防治水设计应根据矿井水文地质条件和防治水安全要求,积极推广使用国内外已有的科研成果和成熟经验,因地制宜地采用新技术、新工艺、新材料、新设备,设计应遵循安全、环保、节能、高效、技术经济合理的原则。

1.0.4 煤炭矿井防治水设计,除应符合本规范外,尚应符合国家现行有关标准的规定。

2 术　　语

2.0.1　采空区　　goaf

采煤以后不再维护的地下空间。

2.0.2　老空区　old goaf

采空区、老窑和已报废井巷的总称。

2.0.3　矿井正常涌水量　　mine normal inflow

矿井开采期间,单位时间内流入矿井的水量。

2.0.4　矿井最大涌水量　　mine peak inflow

矿井开采期间,正常情况下矿井涌水量的高峰值。

2.0.5　安全水头　　safety water head

不致引起矿井突水的承压水头最大值。

2.0.6　开采上限　　upper mining limit

水体下采煤时用安全煤(岩)柱设计方法确定的煤层最高开采标高。

2.0.7　防水安全煤(岩)柱　　waterproof safety coal (rock) pillar

为确保水体下(上)安全采煤而留设的煤层开采上(下)限至水体底(顶)界面之间的煤岩层区段。

2.0.8　防砂安全煤(岩)柱　　sand prevention safety coal (rock) pillar

在松散弱含水层底界面至煤层开采上限之间设计的用于防止水、砂溃入井巷的煤岩层区段。

2.0.9　防塌安全煤(岩)柱　　anti-falling safety coal (rock) pillar

在松散黏土层或已疏干的松散含水层底界面至煤层开采上限之间设计的用于防止泥砂溃入采空区的煤岩层区段,也称防塌煤柱。

2.0.10 探放水 exploration and discharge

探水和放水的总称。

2.0.11 探水 exploration

采用超前勘探方法,查明采掘工作面顶底板、侧帮和前方等水体的空间位置和状况等情况的行为。

2.0.12 放水 discharge

为预防水害事故,在探明情况后采取钻孔等安全方法将水放出的行为。

2.0.13 垮落带 caving zone

由采煤引起的上覆岩层破裂,并向采空区垮落的岩层范围。

2.0.14 导水裂缝带 water flowing fractured zone

开采煤层上方一定范围内的岩层发生垮落和断裂,产生裂缝,且具有导水性的岩层范围。

2.0.15 底板阻水带 bottom water blocking tape

煤层底板采动导水破坏带以下、底部含水体以上具有阻水能力岩层的范围。

2.0.16 松散层 loose layer

第四系、新近系未成岩的沉积物,如冲积层、洪积层、残积层等。

2.0.17 水体底界面 bottom interface of water body

地表水体或地下含水体(层)的底部界面。

2.0.18 底板采动导水破坏带 floor mining water conducted zone

煤层底板岩层受采动影响而产生的采动导水裂隙范围,其深度为自煤层底面至采动破坏带最深处的法线距离。

2.0.19 承压水导升带 lifting belt of confined water

煤层底板承压含水层的水在水压力和矿压作用下上升到其顶板岩层中的范围。

2.0.20 带压开采 mining under water pressure

在具有承压水压力的含水层上进行的采煤。

2.0.21 隔水层厚度 waterproof stratum thickness

开采煤层底(顶)面至含水层顶(底)面之间隔水的完整岩层厚度。

2.0.22 防水闸门 water door

在井下可能受水害威胁地段,为预防地下水突然涌入其他巷道而专门设置的截水闸门。

2.0.23 防水闸门硐室 water door chamber

井下用于设置防水闸门和相关设施的硐室。

2.0.24 防水闸墙 waterproof dam;bulkhead

在井下受水害威胁的巷道内,为防止地下水突然涌入其他巷道而设置的截流墙。

2.0.25 防水闸墙硐室 waterproof dam chamber

井下用于设置防水闸墙的硐室。

2.0.26 矿井正常排水系统 mine natural drainage system

为保证矿井安全生产而设置的能满足排出矿井正常涌水量和最大涌水量的排水系统,包括排水设备、排水管路、电控设备、辅助设施、设备硐室和水仓等。

2.0.27 矿井抗灾排水系统 mine disaster resistance drainage system

除矿井正常排水系统外,为应对矿井突发的水害事故而设置替代井底车场附近的防水闸门的潜水电泵排水系统,包括潜水电泵、排水管路、电气设施、辅助设施、设备硐室及水仓等。

3 基本规定

3.0.1 矿井防治水设计应按"预测预报、有疑必探、先探后掘、先治后采"的原则,编制防、堵、疏、排、截等综合防治水技术措施。

3.0.2 矿井防治水设计应配设专门的探放水作业队伍和满足工作需要的防治水专业技术人员,并应选配专用的探放水设备。

3.0.3 矿井防治水设计所采用的技术措施,应根据矿区和矿井水文地质条件、开拓开采系统、巷道布置、老窑和采空区情况,以及地表水体、邻近矿井及条件类似矿井的防治水经验等因素,经技术经济比较后确定。

3.0.4 矿井防治水设计应根据矿井水害类型和可能发生水害事故的区域,确定避灾线路和紧急避险系统。

3.0.5 矿井水文地质类型划分应符合国家现行有关煤矿防治水的规定。

4 水文地质及基础资料分析

4.0.1 新建矿井防治水设计应根据评审备案的井田地质勘探报告及其他相关资料编制,水文地质条件复杂、极复杂的矿井防治水设计,还应根据经企业组织审查的水文地质勘探报告编制。

4.0.2 改建、扩建矿井及生产矿井的防治水设计,除应具备本规范第 4.0.1 条规定的基础资料外,还应有矿井建井地质报告、生产矿井地质报告及矿井水文地质资料或水文地质补充勘探资料。

4.0.3 矿井防治水设计应对井田勘探报告及其他相关资料进行分析评价,必要时,还应提出水文地质补充勘探要求。

5 开 拓 开 采

5.0.1 井筒、井底车场、主要硐室及主要巷道布置时,宜避开富水性强的含水层、导水构造带等受水害威胁的煤、岩层。

5.0.2 井筒穿过表土层、断层破碎带、富水性强的含水层,用普通法施工难以通过时,经技术经济论证后,应采用注浆、冻结、帷幕或钻井等特殊施工方法。

5.0.3 井巷不应穿过老(采)空区,当井巷确需穿过老(采)空区时,应采取相关安全技术措施。

5.0.4 井下巷道宜设置坡度不小于3‰的排水沟,水沟断面应按过水量设计。

5.0.5 煤层顶、底部有强承压含水层时,主要巷道应布置在不受水害威胁的层位中,并应分区隔离开采。

5.0.6 在有底板突水危险的区域进行井田开拓、开采布置时,应符合下列要求:

    1 应按本规范附录A计算突水系数;

    2 在底板构造破坏块段突水系数不大于0.06MPa/m,且正常块段不大于0.10MPa/m的区域,可布置开拓巷道;

    3 在底板构造破坏块段突水系数大于0.06MPa/m,且正常块段大于0.10MPa/m的区域,应采取疏水降压、注浆加固等措施,并应对其突水危险性进行评价后,再布置开拓开采巷道。

5.0.7 采用仰斜开采时,回采工作面应设置相应的排水系统。

5.0.8 巷道低洼处有可能积水的区域应设置相应的排水设施。

5.0.9 采掘工作面接近或穿过导水构造时,应提出探、防、堵等综合防治水措施。

5.0.10 当布置的采掘工作面需接近煤层(组)顶板导水裂缝带范围内富水性强的含水层或积水区时,应采用以钻孔探水为主、物探等其他方法为辅的综合探测方法,并应查清积水范围和水量、水压等参数,再设计采用超前疏干、放水等方法排除水害威胁。

6 水体下采煤

6.0.1 在河流、湖泊、水库和海域等地面水体下采煤时,应留设防隔水煤(岩)柱。在松散含水层下开采时,应按水体采动等级留设不同类型的防隔水煤(岩)柱。

6.0.2 在水体下采煤时,应根据矿井水文地质及工程地质条件、开采方法、开采高度和顶板控制方法等,按有关水体下开采的规定,控制开采范围和开采高度,并应留设防隔水煤(岩)柱。防隔水煤(岩)柱应按本规范附录B的方法计算。

6.0.3 在基岩含水层(体)、地面水体或含水断裂带下布置采煤工作面时,应对开采前后覆岩的渗透性及含水层之间的水力联系进行分析评价,并应采用留设防隔水煤(岩)柱、疏干开采或充填开采等防治水措施进行安全开采。

6.0.4 水体下布置采掘工作面时,应符合下列要求:

1 在水体下的急倾斜煤层中,严禁布置采掘工作面。

2 矿井水文地质条件复杂,采放后有可能与地表水、老窑积水和富水性强的含水层导通的煤层,不应采用放顶煤开采。

3 在工作面范围内存在高角度断层时,应提出防止断层导水或沿断层带抽冒破坏的措施。

4 在水体下开采缓倾斜及倾斜厚煤层时,宜采用倾斜分层长壁开采方法,并宜减少第一、第二分层的采高。

5 上下分层同一位置的采煤间歇时间应根据顶板岩性确定,且不应小于6个月。

6 开采煤层组时,应采用间隔式开采顺序,并应满足安全开采的间歇要求。

6.0.5 在水体下布设采、掘工作面时,应配置水情和水体底界面变形的监测系统,并应配设相应设备。

7 探测及探放水

7.0.1 矿井防治水设计应根据水文地质条件确定探测方法,并应配备相应类型的探测设备及仪器仪表。

7.0.2 矿井防治水设计应根据水文地质条件配备水文观测系统。

7.0.3 采掘工作面遇有下列情况之一时,应进行探放水设计:

    1 接近水淹或可能积水的井巷、老空区或相邻煤矿;

    2 接近含水层、导水断层、暗河、溶洞和导水陷落柱;

    3 打开防隔水煤(岩)柱进行放水前;

    4 接近可能与河流、湖泊、水库、蓄水池、水井等相通的断层破碎带;

    5 接近有出水可能的钻孔;

    6 接近水文地质条件复杂的区域;

    7 采掘破坏影响范围内有承压含水层或者含水构造、煤层与含水层间的防隔水煤(岩)柱厚度不清楚可能发生突水;

    8 接近有积水的灌浆区;

    9 接近其他可能突水的区域。

7.0.4 采掘工作面探放水前应编制探放水设计,并应根据水患威胁区的积水范围、水位标高、积水量等资料,确定积水线、探水线、警戒线的位置,同时应绘制在采掘工程平面图上。

7.0.5 采掘工作面探放水设计应根据水头高低、煤(岩)层厚度和硬度等条件,确定探放水参数,并应配备相应的探放水设备。

7.0.6 井下探放水应根据超前探放距离等因素,选用专用的探放水钻机及相应的配套设备和仪器仪表。

7.0.7 探放水钻孔参数的确定,应符合下列要求:

    1 放水钻孔孔径应根据煤(岩)层坚硬程度、放水孔深度等因素确定。

    2 放水钻孔数量应结合积水区静储量或老窑、老空区总积水量、钻孔孔径，依据单孔出水量、平均放水量计算确定。

7.0.8 探放水钻机及配套设备的选型，应根据钻孔孔径、探放水深度、放水钻孔数量等确定。

7.0.9 探放水钻机及配套设备的数量应与井下需要进行探放水的采掘工作面数量匹配，其备用量不应低于30%。

7.0.10 井下探放水钻孔除兼作堵水或疏水用的钻孔外，终孔孔径不应大于75mm。

7.0.11 探放水设计的探水钻孔超前距离和止水套管长度，应符合下列要求：

    1 探放老空积水的超前钻距应根据水压、煤（岩）层厚度和强度及安全措施等情况确定，但最小水平钻距不应小于30m，止水套管长度不应小于10m。

    2 沿岩层探放含水层、断层和陷落柱等含水体时，探水钻孔超前钻距和止水套管长度应符合表7.0.11的要求。

表 7.0.11 探水钻孔超前钻距和止水套管长度

水压（MPa）	钻孔超前钻距（m）	止水套管长（m）
<1.0	>10	>5
1.0～2.0	>15	>10
2.0～3.0	>20	>15
>3.0	>25	>20

7.0.12 探放水钻孔应配设与水压匹配的固定套管、放水控制阀门、压力观测系统等孔口安全装置，并应具有防喷、反压、分流、带杆密闭的功能。

7.0.13 钻场所在巷道不具备自排条件时，应配备与钻孔放水能力相匹配的由临时水仓、水泵、排水管路及配套设施等组成的排水系统。

8 防隔水煤(岩)柱的留设

8.0.1 受水害威胁的区域应留设防隔水煤(岩)柱。防隔水煤(岩)柱应根据地质构造、水文地质条件、煤层赋存条件、围岩物理力学性质、开采方法及岩层移动规律等因素,通过计算确定,计算方法应符合本规范附录 B 的规定。

8.0.2 在水体下采煤时,当同一水体的底界面至煤层间距、基岩厚度、各煤层采高、倾角及煤层之间岩性差别悬殊时,应在倾斜剖面和走向剖面上分别计算确定安全煤(岩)柱。

8.0.3 相邻矿井边界处保护煤柱的设置,应符合下列要求:

    1 水文地质条件简单到中等型的矿井,煤柱留设的总宽度不应小于 40m,且每矿不应小于 20m。

    2 水文地质条件复杂和极复杂型的矿井,煤柱留设的宽度除应符合本条第 1 款的要求外,还应根据煤层赋存条件、地质构造、静水压力、开采上覆岩层移动角、导水裂缝带高度等因素计算确定。

    3 以断层为界的矿井,其边界防隔水煤(岩)柱应按断层防水煤柱留设,同时相邻两矿的开采不应破坏邻矿的保护煤柱。

8.0.4 有突水历史或带压开采的矿井,应分水平或分采区实行隔离开采,并应编制相应的综合防治水措施。

9 疏干开采和带压开采

9.1 疏 干 开 采

9.1.1 煤层(组)顶板导水裂缝带范围内分布有富水性强的含水层时,应进行疏干开采。垮落带与导水裂缝带最大高度应根据本规范附录 B 的公式计算结果和现场实测等方法综合确定。

9.1.2 矿井有下列情况之一时,宜采用疏干开采方式:

    1 被富水性强的松散含水层覆盖且浅埋的缓倾斜煤层;

    2 被半固结或较松散的含水层覆盖的煤层;

    3 煤层顶板受开采破坏后,其导水裂缝带波及范围内存在富水性强的含水层(体)的煤层。

9.1.3 疏干开采的疏水量应与矿井排水系统的排水能力相匹配。

9.1.4 矿井疏干开采设计时,应进行定性、定量分析,并应采用三图一双预测法等方法对顶板水害分区进行评价和预测。

9.2 带 压 开 采

9.2.1 当承压含水层与开采煤层之间的隔水层能够承受的水头值大于实际水头值时,可进行带压开采,但应编制相应的安全技术措施。安全隔水层厚度和突水系数应按本规范附录 B 计算。

9.2.2 当承压含水层与开采煤层之间的隔水层能够承受的水头值小于实际水头值时,应进行带压开采设计,并应采用脆弱性指数法等方法对底板突水危险性进行综合分区与评价,同时应符合下列要求:

    1 应采取疏水降压的方法,并应将承压含水层的水头值降到隔水层允许的安全水头值以下,同时还应编制相应的安全技术措施。矿井排水系统应协调矿区排水、供水和生态环境保护三者关系,并应做到三位一体的优化结合。

2 承压含水层的集中补给边界已基本查清时,应预先进行帷幕注浆、截断水源,再按本条第 1 款的要求进行疏水降压开采设计。

3 承压含水层的补给水源充沛,不具备疏水降压和帷幕注浆条件时,应根据矿井的具体条件,通过采用注浆加固底板隔水层及改造含水层为弱含水层等方法,满足本规范第 9.2.1 条的规定后,可进行带压开采。

4 安全水头压力值应按本规范附录 A 计算。

9.3 注 浆 堵 水

9.3.1 当井筒难以穿过含水层时,宜采用预注浆技术,并应符合下列要求:

1 井筒预计穿过基岩风化带含水层、较厚或层数较多的裂隙含水层时,宜选用地面预注浆方法。

2 含水层厚度较薄、层段分散或含水层富水性较弱时,宜选用施工井筒的工作面预注浆方法。

3 注浆方案应根据井筒检查孔含水层的埋深、厚度、岩性及简易水文观测、抽(压)水试验、水质分析等资料进行编制。

4 注浆起始深度应在风化带及以下较完整的岩层内。注浆终止深度,应大于井筒要穿过的最下部含水层底界面的埋深或超过井筒深度 10m~20m。

9.3.2 采用注浆堵水措施的井巷和硐室的掘进漏水量、工程建成后的总漏水量及防水标准,应符合现行国家标准《煤矿井巷工程质量验收规范》GB 50213 的有关规定。

9.3.3 注浆封堵突水点位置,应根据突水点附近的地质构造及突水前后水文观测孔和井、泉的动态变化进行选择,并应经验证后实施。

9.3.4 帷幕注浆应根据水文地质条件对注浆方案进行论证。

9.3.5 穿过与河流、湖泊、溶洞、含水层等存在水力联系的导水构造、裂隙（带）、陷落柱等构造的井巷，应探水前进，前方有水，应超前预注浆封堵加固，必要时应预先构筑防水闸门或采取其他防治水措施。穿过含水层段的井巷，应按防水要求进行壁后注浆处理。

9.3.6 矿井采掘范围内有充水或导水的断层、裂隙和陷落柱等构造时，应留设防隔水煤（岩）柱或采用注浆方法封堵导水通道，封堵方法应经论证后确定。

9.3.7 采用注浆改造工作面时，应先进行物探，并应查明水文地质条件后打孔注浆，再用物探与钻探验证注浆改造效果。

9.3.8 分期建设、分期投产的矿井，注浆堵水系统宜一次设计、分期建设、分期投入使用。

9.3.9 矿井注浆系统及其能力应根据水文地质条件、开拓布置方式、生产规模、采掘工作面数量、生产接续、注浆堵水方法，以及堵水注浆量等因素综合确定。

9.3.10 注浆材料应根据注浆效果、施工和环境保护的要求选用。

9.3.11 注浆终孔压力应根据水压和水文地质条件选择，不宜小于水压的 1.5 倍，并不应引起井巷支护结构和围岩破裂、变形。

9.3.12 注浆系统设备选型应根据注浆堵水系统类型、注浆量、注浆系统所要求的压力，以及注浆堵水材料类别等因素确定。

9.3.13 井下移动式注浆站应设置在注浆地点附近的全风压通风新鲜风流中，并应满足注浆设备运输、安装及检修的要求。

9.3.14 注浆堵水管路系统设计应符合下列要求：

　　1 注浆堵水管路系统设置，应符合矿井开拓、开采部署、注浆地点分布、注浆站布置等要求。

　　2 注浆管路敷设应避免中凹布置方式。无法避免时，应在管路最低点设置排空阀。

　　3 井下巷道中的注浆管路应布置在人行道的对侧。

　　4 当注浆管路距离较长时，经方案比较，可采用钻孔固管下井。

5 管路直径应根据注浆量,按浆液流速大于临界流速计算确定。

6 注浆管路趟数应根据同时需要注浆的钻孔数量确定,并应留有备用管路。

7 注浆管路壁厚应结合管材、注浆材料、服务年限及注浆管路最大工作压力计算确定。

10 防水闸门与防水闸墙设施

10.1 防水闸门

10.1.1 存在下列情况之一时,应设置防水闸门及硐室:

　　1 水文地质条件复杂、极复杂或有突水淹井危险的矿井,井下未设置抗灾排水系统的井底车场周围;

　　2 在有突水危险的区域布置采掘工作面时;

　　3 受承压水威胁的煤层需分水平或分采区隔离开采时;

　　4 钻孔打透富水性强的含水层或老空积水区,有突水危险时。

10.1.2 水害威胁严重的矿井设置防水闸门及硐室时,应与排水系统、防水闸墙统一规划、综合布置。

10.1.3 防水闸门及硐室所承受的设计水压,应根据矿井水文地质资料和含水层的水位标高计算或通过实际观测水压等确定,并应与矿井井巷所承受的水头压力相一致。

10.1.4 防水闸门的选型应根据通过设备的最大外形尺寸、人行道宽度、巷道通过的最大风量和风速等因素确定。

10.1.5 防水闸门及其控制系统中的各种机械设备、电控设备、零部件和主要材料及计量、检测器具、仪器、仪表等,均应符合现行煤矿安全规程的有关规定,其精度等级应满足被检测项目的精度要求。

10.2 防水闸墙

10.2.1 水文地质条件复杂的矿井,井巷、采区布置或生产矿井开拓延深设计时,应预留建筑防水闸墙的位置,并应在其附近留设足够的防水煤(岩)柱。

10.2.2 钻孔打透富水性强的含水层或老空积水区时,应设置防水闸墙及硐室。

10.2.3 防水闸墙应嵌入围岩中,并应与围岩形成整体。

10.3 防水闸门与防水闸墙硐室

10.3.1 防水闸门硐室的选址应结合矿井的水文地质条件、围岩条件、开拓布置等因素确定。有冲击地压的区域不宜设置防水闸门硐室。

10.3.2 防水闸门硐室的设置应符合下列要求:

　　1 应设于坚硬、稳定、完整致密的岩(煤)层中;

　　2 不应设于岩溶、断层、节理、裂隙发育的破碎地带;

　　3 不应受井下采动影响,并应符合通风、运输、行人、放水、安全等要求;

　　4 应有利于施工和灾后恢复生产;

　　5 硐室四周应留设保护煤(岩)柱。

10.3.3 防水闸门的设计应有闸门和闸门硐室防渗漏技术措施。

10.3.4 防水闸门硐室泄水方式应根据硐室所处巷道的水沟泄水流量确定。可采用水管泄水、水沟泄水或泄水巷泄水。

10.3.5 防水闸门来水侧 15m～25m 处应设算子门。采用双向防水闸门时,在两侧应分别设算子门。

10.3.6 通过防水闸门的轨道、电机车架空线、带式输送机等,应灵活、易拆装。

10.3.7 通过防水闸门硐室的预埋件应符合下列要求:

　　1 管路和闸阀等的耐压能力不应低于防水闸门的设计压力。

　　2 通过防水闸门硐室墙体的泄水管、压风管、洒水管等各种管路,应配置闸阀或在来水侧设置盲盖或堵头封堵严密。

　　3 预埋通过硐室的钢管,应采取防止钢管滑动、位移措施。

　　4 通过硐室的电缆应封堵严实。

10.3.8 防水闸门与防水闸墙硐室墙体前、后两端,应分别设长度不小于5m的混凝土砌碹。

10.3.9 防水闸门与防水闸墙硐室的混凝土强度等级不应低于

C25,并应符合现行国家标准《混凝土结构设计规范》GB 50010 的有关规定。

10.3.10 防水闸门墙体和两端护砌段应整体砌筑,在门硐四周、门框附近,砌筑时应采取加固措施。硐室承受 1.6MPa 以上水压时,闸门墙体迎水端及门框背后混凝土应通过计算配置钢筋,并应核算闸门及门框、墙体的抗剪能力。

10.3.11 防水闸门与防水闸墙硐室围岩强度低于防水和抗压强度时,对硐室围岩应采取加固措施。

10.3.12 防水闸门硐室和两端护硐砌筑时应预留注浆管,预留注浆管径应与注浆材料相适宜,壁厚应根据注浆压力等因素确定。砌筑后应对硐室壁进行注浆加固,其最终注浆压力应大于防水闸门设计压力的 1.5 倍。

10.3.13 防水闸门与防水闸墙硐室墙体结构形式,可根据硐室承受水压,选用圆柱形结构、楔形结构、倒截锥形结构,并应符合下列要求:

    1 承受水压不大于 1.6MPa 的硐室应选用圆柱形或楔形结构;

    2 承受水压大于 1.6MPa 的硐室应选用倒截锥形结构。

10.3.14 防水闸门硐室应设隔离煤(岩)柱,并应按本规范附录 A 的规定对隔离煤(岩)柱进行详细分析和核算。

10.3.15 防水闸门硐室和防水闸墙的长度和基础深度,宜根据硐室结构形式按本规范附录 C 计算。计算硐室壁厚及嵌入围岩深度时,应视围岩情况取 2.0～2.5 的安全系数。硐室混凝土承压和抗剪安全系数应按现行国家标准《混凝土结构设计规范》GB 50010 的有关规定执行。

10.3.16 防水闸门硐室内壁两侧应有闸门完全开启的空间。防水闸门完全打开后,门后应有不小于 200mm 的空间。

10.3.17 防水闸门硐室应设有观测水压的装置、放水管和放水闸阀。

10.3.18 电气设备硐室应就近布置在防水闸门非来水侧。电气设备硐室底板应高于防水闸门硐室底板 1.0m 以上。电气设备硐室的建设不应影响防水闸门硐室强度。

11 排水系统设计

11.1 一 般 规 定

11.1.1 矿井应设置与矿井涌水量相匹配的正常排水系统。

11.1.2 水文地质条件复杂、极复杂或有突水危险的矿井,在井底车场周围未设置防水闸门时,应在正常排水系统的基础上增设抗灾排水系统。

11.1.3 矿井排水设备必须选用取得煤矿矿用产品安全标志的产品。

11.1.4 矿井正常排水系统设计除应执行本规范外,尚应符合现行国家标准《煤矿井下排水泵站及排水管路设计规范》GB 50451的有关规定。

11.1.5 抗灾排水系统的排水能力应按不小于矿井最大涌水量进行设计。

11.1.6 水文地质条件复杂、极复杂或有突水危险的矿井,采用下山开采时,应在下山采区下部车场附近设置采区正常排水系统和采区抗灾排水系统或在采区正常排水系统基础上采取其他防治水措施。

11.1.7 水文地质条件复杂、极复杂或有突水危险的矿井,当采用多水平或多采区开采时,抗灾排水系统宜采用直排方式。

11.2 矿井正常排水系统

11.2.1 矿井正常排水系统泵站设备选型,应符合下列要求:

    1 泵站排水设备宜采用吸入式矿用多级离心水泵。

    2 下列情况,且采用其他措施不经济时,泵站排水设备宜采用潜水泵:

1)矿井水文地质条件复杂或极复杂、涌水量大、有突水危险;

2)采用吸入式矿用多级离心水泵不能满足吸水高度要求;

3)采用吸入式矿用多级离心水泵泵站硐室温度不能满足要求;

4)采用吸入式矿用多级离心水泵泵站噪声超标。

11.2.2 矿井正常排水系统必须设置工作水泵、备用水泵和检修水泵。工作水泵的排水能力应能在20h内排出矿井24h的正常涌水量,应包括充填水及其他用水。备用水泵的能力不应小于工作水泵能力的70%。工作和备用水泵的总能力,应能在20h内排出矿井24h的最大涌水量,应包括充填水及其他用水。检修水泵的能力,不应小于工作水泵能力的25%。

11.2.3 矿井正常排水系统必须设置工作管路和备用管路,工作管路应能配合工作水泵在20h内排出矿井24h的正常涌水量,应包括充填水及其他用水;工作管路和备用管路应能配合工作水泵和备用水泵在20h内排出矿井24h的最大涌水量,应包括充填水及其他用水。

11.2.4 矿井正常排水系统主排水泵站布置应符合下列要求:

1 主排水泵站宜与主变电所联合布置,并宜靠近敷设排水管路的井筒。硐室与井筒垂直距离不宜小于20m。

2 主排水泵站应至少有两个出口,一个出口应用斜巷通到井筒,并应高出泵站底板7m以上;另一个出口应通到井底车场,在通到井底车场出口通道内,应设置易于关闭的既防水又防火的密闭门和栅栏门。

3 主排水泵站通道断面设计应满足通过最大设备、行人、通风等要求,并应与密闭门、栅栏门相匹配。

4 主排水泵站地面应高出硐室通道与井底车场巷道或大巷连接处底板0.5m。与硐室通道相连接的巷道铺设双轨且为高低道时,应以高道侧巷道底板计算硐室地面高程。

11.2.5 矿井正常排水系统主排水泵站尺寸与管路及电缆布置，应符合下列要求：

1 泵站尺寸应符合现行国家标准《煤矿井下排水泵站及排水管路设计规范》GB 50451 的有关规定，并应满足水泵、排水管路与电动机安装、检修的要求。

2 电缆敷设宜采用电缆沟或墙壁悬挂电缆方式，至电机接线盒段宜敷设在硐室底板电缆沟内或穿套管保护。

11.2.6 矿井正常排水系统主排水泵站及吸水井、配水巷断面和支护，应符合下列要求：

1 泵站断面形状与支护方式，应符合现行国家标准《煤矿巷道断面及交岔点设计规范》GB 50419 的有关规定。

2 吸水井、配水巷断面宜采用半圆拱形。吸水井井壁应设便于检修的爬梯，上部井口应铺设盖板。

3 泵站地面应向吸水井侧设不小于 3‰ 的流水坡度，硐室积水宜引入吸水井内。

4 电缆沟应设不小于 3‰ 的流水坡度，积水宜引入吸水井内。电缆沟底和壁的砌筑厚度不宜小于 0.1m，电缆沟砌筑宜采用混凝土，其强度等级不应低于 C15。

11.2.7 矿井主排水泵站内设备运输应符合下列要求：

1 泵站设备宜采用轨道运输，轨面高程宜与硐室地面一致。

2 泵站轨道转向方式宜采用转盘。

3 硐室通道与车场巷道连接处的设备转运，宜采用吊装方式。在不影响车辆运行的线路上，也可采用转盘或道岔。

11.2.8 管子道布置应符合下列要求：

1 管子道净断面应满足安装、维护排水管路的要求；当管子道兼作运送设备的通道时，还应满足运送最大设备的要求。

2 当管子道作为主排水泵站安全出口时，管子道应有通往井筒的通道；通向立井的管子道应设与井筒梯子间或提升容器的连接通道。

3 管子道倾角不宜大于 30°,并宜铺设轨道,轨道上、下竖曲线半径宜取 6m～12m。管子道通往井筒连接处应设平台,平台应高出泵站地面 7m 以上。

11.2.9 管子道设施的布置应符合下列要求:

1 管子道应根据设备布置要求设置托管梁、管墩、轨道及转盘。当有电缆通过时,还应设置电缆沟(架)。

2 立井管子道平台与井筒连接处应设向内开启的栅栏门。

3 当管子道兼作运送设备的通道时,在立井管子道平台与井筒连接处,应设便于拆卸的罐道和固定活动短轨的钢梁或起重梁,在管子道上部平台处应留出提升绞车的安装位置;斜井管子道与井筒连接处宜加设道岔或起吊梁。

11.2.10 水仓布置应符合下列要求:

1 水仓不应布置在松软、破碎的岩层和断层带。水仓入口应设在井底车场、大巷最低点或靠近最低点。

2 水仓应由互不渗漏的主仓和副仓组成,并应满足在清理时交替使用的要求。

3 水仓入口通道的水沟,应设铁算子与闸板。水仓入口斜巷应设人行台阶,斜巷坡度不宜大于 20°,轨道上、下竖曲线半径宜取 9m～12m,水仓底板应向吸水井方向设 1‰～2‰ 的上坡,水仓可不设水沟。

11.2.11 水仓容量应符合下列要求:

1 水仓有效容量应根据矿井涌水量,按有关规定计算确定。

2 水仓总长度应根据水仓有效容量、断面等因素确定,并应宜压缩水仓入口与吸水井之间的贯通长度。

3 水仓最高存水面应低于水仓入口水沟底面和主排水泵站电缆沟底面,水仓平均有效水深不宜小于 2m。

11.2.12 水仓支护方式应符合下列要求:

1 水仓支护方式宜采用混凝土或防渗混凝土砌碹,围岩较硬、稳定且无渗水时,可采用锚网喷支护等其他支护方式。

2 在水仓、吸水井及配水巷连接处应采用混凝土或钢筋混凝土支护。围岩裂隙发育可能渗水时,应加强混凝土防渗能力。

3 水仓底板宜采用混凝土铺底。

11.2.13 水仓清理方式应符合下列要求:

1 水仓清理方式应根据水仓清理量等因素确定,宜采用机械清理。

2 采用水砂充填、水力采煤和其他污水中带有大量杂质的矿井,以及采用潜水泵排水的矿井,井下应设置专门的沉淀及清理系统。

3 当水仓清理采用矿车运输时,应铺设轨道。

11.2.14 采区及井下其他排水系统泵房、水仓、管子道,除应按现行国家标准《煤矿井底车场硐室设计规范》GB 50416 等有关规定进行设计外,可按本节的相关规定执行。

11.3 抗灾排水系统

11.3.1 矿井抗灾排水系统设计应符合下列要求:

1 矿井抗灾排水系统的排水能力应按管路淤积后潜水泵的工况流量计算。

2 矿井抗灾排水系统管路淤积的附加阻力系数不应小于 1.7。

3 矿井抗灾排水系统排水设备应选用高效节能的矿用型产品。

4 潜水泵电动机的容量应根据矿井水比重进行校验。

5 潜水电泵应满足全扬程安全运行要求。

11.3.2 潜水泵的布置形式应根据潜水泵的结构形式、安装检修要求、井巷布置及围岩条件等采用卧式、斜式或立式布置。

11.3.3 潜水泵站内应设置便于安装、检修的辅助设施。

11.3.4 潜水泵配套电动机应能承受额定转速 1.2 倍的反转转速,且历时 2min 不应有有害变形。

11.3.5 潜水泵距吸水井墙壁的最小间距不宜小于水泵吸水口的直径,且净间距不宜小于800mm。

11.3.6 当2台或多台潜水泵布置于同一个吸水井内时,潜水泵吸水口宜交错布置,吸水口净间距不应小于吸水口直径的1.5倍。

11.3.7 当矿井正常排水系统采用潜水泵时,抗灾排水泵站宜与正常排水泵站统一布置。

11.3.8 抗灾潜水泵排水系统布置应满足其定期试用和维护的要求。

11.3.9 抗灾排水系统水泵房布置、水仓布置、支护、清理方式等,可按本规范第11.2节的规定设计。

11.3.10 抗灾排水系统水仓宜与正常排水系统水仓共用,也可设置独立水仓。设置独立水仓时,水仓的有效容积不应小于1h的矿井最大涌水量。

11.3.11 抗灾排水系统水仓入口前应设置专门的沉淀池和带检修门的全断面格栅,检修门应能满足最大设备通过及行人要求。

11.3.12 抗灾排水管路应独立设置,排水能力应与抗灾潜水泵的排水能力相匹配。

11.3.13 潜水泵出口管路上应设置逆止阀和放空管。

12　供配电与控制

12.0.1　主排水泵站、下山采区排水泵站和抗灾潜水泵站变(配)电所的供电线路不得少于两回路。当任一回路停止供电时,其余回路应能担负全部负荷。主排水泵站、下山采区排水泵站和抗灾潜水泵站变(配)电所的供电线路应来自不同的变压器和母线段,线路上不应分接任何负荷。

12.0.2　不兼作矿井主排水或下山采区排水的井下煤水泵、井底水窝水泵变(配)电所,宜由两回线路供电。

12.0.3　煤矿井下排水泵站的配电设备的能力应与工作、备用和检修水泵的能力相匹配,并应能保证全部水泵同时运转。

12.0.4　矿井正常排水系统和抗灾排水系统供电及控制设备的安装地点,应符合下列要求:

　　1　抗灾潜水泵站的供电及控制设备应安装在地面。

　　2　当抗灾排水系统采用接力排水时,在保证安全的前提下,经技术经济比较后,其供电和控制设备可设置在上部水平的电控室内。

　　3　水文地质条件复杂或极复杂的矿井,采用潜水泵作为矿井正常排水系统主排水泵时,其供电及控制设备宜安装在地面或上部水平的电控室内。

　　4　当矿井正常排水系统主排水泵采用吸入式矿用多级离心水泵,且主泵站与井下主变(配)电所相邻时,主排水泵的高、低压变配电装置宜布置在井下主变(配)电所内。

　　5　当采区排水泵采用吸入式矿用多级离心水泵且泵站与井下采区变(配)电所相邻时,采区排水泵的高、低压变配电装置宜布置在井下采区变(配)电所内。

12.0.5 排水泵高压电动机的高压控制设备,应具有短路、过负荷、接地和低电压释放保护功能。低压电动机的控制设备应具有短路、过负荷、单相断线、低电压、漏电保护装置。

12.0.6 排水泵的电动机选型及启动应符合下列要求:

1 主排水泵电动机宜选用笼型电动机,并宜采用直接启动方式。当电网条件不允许时,可采用降压起动。

2 主排水泵的高、低压电动机采用直接启动时,其变(配)电所母线上的电压不宜低于额定电压的85%。

3 配电室设置在井下时,排水泵电动机容量在630kW及以上应采用高压供电,630kW以下时,供电电压等级应进行技术经济比较后确定。

12.0.7 用于煤矿井下排水潜水泵的电力电缆和控制电缆,除应符合矿用电缆要求外,还应符合防水、耐压要求。

12.0.8 主排水泵、下山采区排水泵和抗灾潜水电泵等井下主要水泵站,以及其电气控制设备所在的井下中央变电所、向下山采区排水泵供电的变电所和抗灾潜水泵站地面电气控制室,应设置直通矿调度室的电话。

12.0.9 排水泵电动机及井下各电气设备应做接地保护,其接地干线应与井下总接地系统相接。

12.0.10 排水泵站的照明灯具,应采用矿用防爆节能灯,排水泵站硐室底板上高度为0.8m水平面处的最低照度不应小于75lx。

12.0.11 矿井正常排水系统应设计为自动化排水系统,并应具有手动功能,同时应符合下列要求:

1 应装设电动机电流及温度、启动水泵时真空度、水泵出口压力、排水管流量、水仓水位等监测装置,并应集中显示,同时应能实现超限报警。

2 应根据水仓水位及水位变化率完成水泵的自动注水、闸阀的自动操作和多功能水泵控制阀的监测,自动开停水泵,并应能实现水泵的自动轮换工作。

3 主控装置与排水泵站分设时,应设置标志明显的启动联系信号。

4 应具备机旁及远程紧急停车功能。

12.0.12 抗灾潜水电泵应采取地面集中控制。集中控制系统应具有潜水电泵电流、温度、内腔贫水、动静态绝缘、轴承温度和排水管流量、水仓水位等监测功能,并应集中显示,同时应能实现超限报警。

12.0.13 矿井正常排水系统和抗灾排水系统应设置水仓水位传感器和设备开停传感器,其信号应接入矿井安全监控系统。

12.0.14 井底水窝水泵宜采用自动控制,其声光信号应接到有人值班的场所。

12.0.15 防水闸门供配电及控制系统的电源应引自非来水侧,并应采用双回路供电。电源应来自不同的变压器和母线段,线路上不应分接任何负荷。

12.0.16 防水闸门处应装设集中监控装置,控制系统应具备就地和远程控制功能,并应能实现故障报警,同时应能将防水闸门的状态及闸门内巷道的水位、水压等监测信息传入矿井安全监控系统。

12.0.17 防水闸门电气设备硐室应设固定照明和直通电话。

12.0.18 防水闸门内外应设置下列装置:

1 工业电视监视器;

2 声光报警装置;

3 固定照明。

12.0.19 防水闸门硐室处应设置人员定位监控基站。

13 地面防治水

13.0.1 井口及工业场地的防洪设计标准,应符合现行国家标准《煤炭工业矿井设计规范》GB 50215 的有关规定。

13.0.2 矿井地面防治水的疏水、防水和排水系统设计,应根据矿区及其附近地表水系统的汇水、渗漏及当地历年降水量和最高洪水位等因素确定。

13.0.3 当工业场地位于山坡地带时,应在场地上方设置截水沟。截水沟设计应符合现行国家标准《煤炭工业矿井设计规范》GB 50215 的有关规定。

13.0.4 工业场地地面排水坡度不宜小于 5‰,条件困难时不应小于 3‰。

13.0.5 当内涝或洼地积水有可能浸入井下时,应采用拦截疏导、压实防渗、填矸造田或设泵站排出等消除矿井水害措施,并应符合当地农田水利和环境保护规划的有关规定。

13.0.6 场地雨水排放宜采用管道或明沟加盖板为主的排水系统。

13.0.7 在洪水、河流冲刷到的地段,严禁设置矸石、炉灰、垃圾等堆放场地。

附录 A 安全水头压力值计算

A. 0. 1 掘进巷道底板隔水层安全水头压力,宜按下式计算:

$$p = 2K_p \frac{t^2}{L^2} + \gamma t \qquad (A.0.1)$$

式中:p——底板隔水层能够承受的安全水压,MPa;

t——隔水层厚度(m);

L——巷道宽度(m);

γ——底板隔水层的平均重度(MN/m³);

K_p——底板隔水层的平均抗拉强度(MPa)。

A. 0. 2 采掘工作面安全水头压力,宜按下式计算:

$$p = T_s M \qquad (A.0.2)$$

式中:M——底板隔水层厚度(m);

p——安全水压(MPa);

T_s——临界突水系数(MPa/m),应根据矿区资料确定,在具有构造破坏的地段按 0.06 计算,隔水层完整无断裂构造破坏地段按 0.1 计算。

附录 B　防隔水煤(岩)柱设计计算方法

B.1　水体下采煤的安全煤(岩)柱设计计算方法

B.1.1　水体的边界应区分平面边界和深度边界。确定水体边界应符合下列要求：

1　地表水体底界面直接与隔水层接触时,最高洪水位应为水体的平面边界,且水体底界面应为水体的深度边界。

2　地表水体底界面直接与含水层接触或有水力联系时,最高洪水位线或该含水层边界应为水体的平面边界,该含水层底界面应为水体的深度边界。

3　仅为地下含水层水体时,含水层边界应为水体的平面边界,含水层的顶或底界面应为水体的深度边界。

4　在确定水体边界时,应分析由于受周围开采引起的岩层破坏和地表下沉或受水压力作用,以及地质构造等影响而导致水体边界条件变化的因素。

B.1.2　计算水体下开采近距离煤层群的安全煤(岩)柱时,煤层间距大于其下一层煤的垮落带高度,应按上、下煤层的开采厚度分别计算,并应取其中最大值;煤层间距等于或小于其下一层煤的垮落带高度,应以累计厚度或综合开采厚度计算。

B.1.3　煤层露头防隔水煤(岩)柱的计算,应符合下列要求：

1　防水安全煤(岩)柱设计计算方法,应符合下列要求：

1)防水安全煤(岩)柱的垂高 H_{sh} 应大于或等于导水裂缝带的最大高度 H_{li} 加上保护层厚度 H_b(图 B.1.3),可按下式计算：

$$H_{sh} \geqslant H_{li} + H_b \qquad (B.1.3\text{-}1)$$

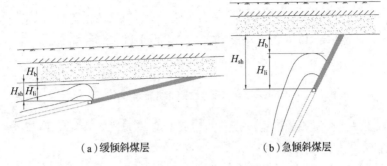

（a）缓倾斜煤层　　　　　（b）急倾斜煤层

图 B.1.3-1　防水安全煤柱设计

2）煤系地层无松散层覆盖和采深较小时，应增加地表裂缝深度 H_{bili}（图 B.1.3-2），可按下式计算：

$$H_{\mathrm{sh}} \geqslant H_{\mathrm{li}} + H_{\mathrm{b}} + H_{\mathrm{bili}} \qquad (\mathrm{B.1.3\text{-}2})$$

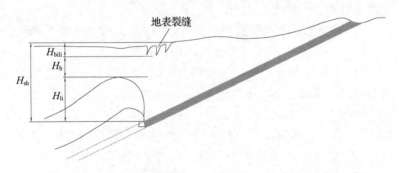

图 B.1.3-2　煤系地层无松散层覆盖时防水安全煤柱设计

3）松散含水层为强或中等含水层，且直接与基岩接触，而基岩风化带亦含水时，应增加基岩风化带深度 H_{fe}（图 B.1.3-3），或将水体底界面下移至基岩风化带底界面，可按下式计算：

$$H_{\mathrm{sh}} \geqslant H_{\mathrm{li}} + H_{\mathrm{b}} + H_{\mathrm{fe}} \qquad (\mathrm{B.1.3\text{-}3})$$

式中：H_{sh}——防隔水煤（岩）柱高度（m）；

H_{li}——导水裂缝带最大高度（m）；

H_{b}——保护层厚度（m）；

H_{bili}——地表裂缝深度(m)；

H_{fe}——基岩风化带深度(m)。

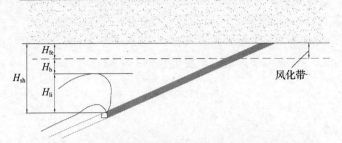

图 B. 1.3-3　基岩风化带含水时防水安全煤(岩)柱设计

2　防砂安全煤(岩)柱垂高 H_{s} 应大于或等于垮落带的最大高度 H_{m} 加上保护层厚度 H_{b}(图 B. 1.3-4)，可按下式计算：

$$H_{\mathrm{s}} \geqslant H_{\mathrm{m}} + H_{\mathrm{b}} \qquad (\mathrm{B.\,1.3\text{-}4})$$

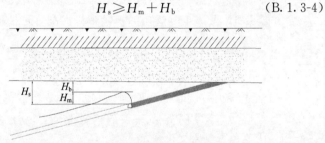

图 B. 1.3-4　防砂安全煤(岩)柱设计

3　防塌安全煤(岩)柱垂高 H_{t} 应等于或接近垮落带的最大高度 H_{m}(图 B. 1.3-5)，应为 $H_{\mathrm{t}} \approx H_{\mathrm{m}}$。

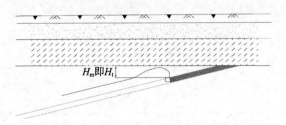

图 B. 1.3-5　防塌安全煤(岩)柱设计

B.1.4 不同煤层倾角时垮落带和导水裂缝带高度的设计计算方法,应符合下列要求:

1 倾角不大于 54°的煤层,不同顶板覆岩情况下,垮落带和导水裂缝带高度的计算,应符合下列要求:

1)煤层顶板覆岩内有极坚硬岩层,采后能形成悬顶时,其下方的垮落带最大高度可按下式计算:

$$H_\text{m} = \frac{M}{(K-1)\cos\alpha} \qquad \text{(B.1.4-1)}$$

式中:H_m——垮落带高度(m);

M——煤层开采厚度(m);

K——冒落岩石碎涨系数;

α——煤层倾角(°)。

2)当煤层顶板覆岩内为坚硬、中硬、软弱、极软弱岩层或其互层时,开采单一煤层的垮落带最大高度可按下式计算:

$$H_\text{m} = \frac{M-W}{(K-1)\cos\alpha} \qquad \text{(B.1.4-2)}$$

式中:W——冒落过程中顶板的下沉值(m)。

3)当煤层顶板覆岩内为坚硬、中硬、软弱、极软弱岩层或其互层时,厚煤层分层开采的垮落带最大高度可采用表 B.1.4-1 中的公式计算。

表 B.1.4-1 厚煤层分层开采的垮落带高度计算公式

覆岩岩性(单向抗压强度及主要岩石名称)(MPa)	计算公式(m)
坚硬(40~80,石英砂岩、石灰岩、砂质页岩、砾岩)	$H_\text{m} = \dfrac{100\sum M}{2.1\sum M + 16} \pm 2.5$
中硬(20~40,砂岩、泥质灰岩、砂质页岩、页岩)	$H_\text{m} = \dfrac{100\sum M}{4.7\sum M + 19} \pm 2.2$
软弱(10~20,泥岩、泥质砂岩)	$H_\text{m} = \dfrac{100\sum M}{6.2\sum M + 32} \pm 1.5$
极软弱(<10,铝土岩、风化泥岩、黏土、砂质黏土)	$H_\text{m} = \dfrac{100\sum M}{7.0\sum M + 63} \pm 1.2$

注:$\sum M$ 为累计采厚;公式应用范围为单层采厚 1m~3m,累计采厚不超过 15m;计算公式中±号项为中误差。

4)煤层覆岩内为坚硬、中硬、软弱、极软弱岩层或其互层时,厚煤层分层开采的导水裂缝带最大高度可选用表 B.1.4-2 中的公式计算。

表 B.1.4-2　厚煤层分层开采的导水裂缝带高度计算公式

覆岩岩性	计算公式之一(m)	计算公式之二(m)
坚硬	$H_{li} = \dfrac{100\sum M}{1.2\sum M + 2.0} \pm 8.9$	$H_{li} = 30\sqrt{\sum M} + 10$
中硬	$H_{li} = \dfrac{100\sum M}{1.6\sum M + 3.6} \pm 5.6$	$H_{li} = 20\sqrt{\sum M} + 10$
软弱	$H_{li} = \dfrac{100\sum M}{3.1\sum M + 5.0} \pm 4.0$	$H_{li} = 10\sqrt{\sum M} + 5$
极软弱	$H_{li} = \dfrac{100\sum M}{5.0\sum M + 8.0} \pm 3.0$	

2　倾角大于 54°的煤层顶、底板为坚硬、中硬、软弱岩层,用垮落法开采时的垮落带和导水裂缝带高度可选用表 B.1.4-3 中的公式计算。

表 B.1.4-3　急倾斜煤层垮落带、导水裂缝带高度计算公式

覆岩岩性	导水裂缝带高度(m)	垮落带高度(m)
坚硬	$H_{li} = \dfrac{100M_h}{4.1h + 133} \pm 8.4$	$H_m = (0.4 \sim 0.5)H_{li}$
中硬、软弱	$H_{li} = \dfrac{100M_h}{7.5h + 293} \pm 7.3$	$H_m = (0.4 \sim 0.5)H_{li}$

B.1.5　保护层厚度的选取应符合下列要求:

1　倾角不大于 54°的煤层应符合下列要求:

1)防水安全煤(岩)柱的保护层厚度,可根据有无松散层及其中黏性土层厚度按表 B.1.5-1 中的数值选取。

表 B.1.5-1　防水安全煤(岩)柱保护层厚度(不适用于综放开采)(m)

覆岩岩性	松散层底部黏性土层厚度大于累计采厚	松散层底部黏性土层厚度小于累计采厚	松散层全厚小于累计采厚	松散层底部无黏性土层
坚硬	$4A$	$5A$	$6A$	$7A$
中硬	$3A$	$4A$	$5A$	$6A$
软弱	$2A$	$3A$	$4A$	$5A$
极软弱	$2A$	$2A$	$3A$	$4A$

注:A 为 $\sum M/n$,$\sum M$ 为累计采厚;n 为分层层数。

　　2)防砂安全煤(岩)柱的保护层厚度可按表 B.1.5-2 中的数值选取。

表 B.1.5-2　防砂安全煤(岩)柱保护层厚度(不适用于综放开采)(m)

覆岩岩性	松散层底部黏性土层或弱含水层厚度大于累计采厚	松散层全厚大于累计采厚
坚硬	$4A$	$2A$
中硬	$3A$	$2A$
软弱	$2A$	$2A$
极软弱	$2A$	$2A$

　　2　倾角大于 54°的煤层的防水煤(岩)柱及防砂煤(岩)柱的保护层厚度,可按表 B.1.5-3 中的数值选取。

表 B.1.5-3　急倾斜煤层防水及防砂煤(岩)柱保护层厚度(m)

覆岩岩性	>54°~70°				>70°~90°			
	a	b	c	d	a	b	c	d
坚硬	15	18	20	22	17	20	22	24
中硬	10	13	15	17	12	15	17	19
软弱	5	8	10	12	7	10	12	14

注:a—松散层底部黏性土层大于累计采厚;b—松散层底部黏性土层小于累计采厚;c—松散层全厚为小于累计采厚的黏性土层;d—松散层底部无黏性土层。

B. 1. 6 近距离煤层垮落带和导水裂缝带高度的计算,应符合下列要求:

1 上、下两层煤的最小垂距 h 大于回采下层煤的垮落带高度 H_{xm} 时,上、下层煤的导水裂缝带高度可按上、下层煤的厚度分别选用本规范表 B.1.4-2 中的公式计算,并应取其中标高最高者作为两层煤的导水裂缝带最大高度(图 B.1.6-1)。

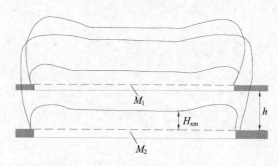

图 B. 1. 6-1 近距离煤层导水裂缝带高度计算($h > H_{xm}$)示例

2 下层煤的垮落带接触到或完全进入上层煤范围内时,上层煤的导水裂缝带最大高度应采用本层煤的开采厚度计算,下层煤的导水裂缝带最大高度,应采用上、下层煤的综合开采厚度计算,并应取其中标高最高者为两层煤的导水裂缝带最大高度(图 B. 1. 6-2)。

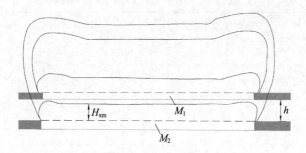

图 B. 1. 6-2 近距离煤层导水裂缝带高度计算($h < H_{xm}$示例

3 上、下层煤的综合开采厚度可按下式计算(图 B. 1. 6-3):

$$M_{z1-2} = M_2 + \left(M_1 - \frac{h_{1-2}}{y_2} \right) \qquad \text{(B.1.6-1)}$$

式中:M_{z1-2}——上、下层煤综合开采厚度(m);

M_1——上层煤开采厚度(m);

M_2——下层煤开采厚度(m);

h_{1-2}——上、下层煤之间的法线距离(m);

y_2——下层煤的冒高与采厚之比。

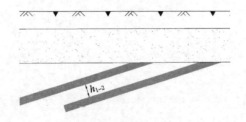

图 B.1.6-3　缓倾斜近距离煤层的综合开采厚度示例

4　上、下层煤之间的距离很小时,综合开采厚度应为累计厚度,可按下式计算:

$$M_{z1-2} = M_1 + M_2 \qquad \text{(B.1.6-2)}$$

B.1.7　我国部分煤矿地表裂缝深度的实测结果可按表 B.1.7 选取。

表 B.1.7　部分煤矿地表裂缝深度实测资料

矿区或矿名	采深采厚比	裂缝处岩(土)性	裂缝深度(m)	附注
阜新清河门矿		松散层	0.4～0.6	直接量测
开滦唐家庄矿		松散层	5～6	直接量测
开滦范各庄矿		松散层	1.76	直接量测
辽源胜利矿		松散层	5.0	直接量测
抚顺胜利矿		松散层	7～8	直接量测
新汶孙村矿		松散层	2.5～3.0	直接量测

矿区或矿名	采深采厚比	裂缝处岩(土)性	裂缝深度(m)	附注
枣庄柴里矿	11~12	松散层(砂质黏土)	6~10	直接量测
扎赉诺尔矿		松散层(砂质黏土)	1.9~2.0	直接量测
淮南毕家岗矿		松散层(砂质黏土)	2.8~3.0	槽探
合山柳花岭矿	30~40	松散层(砂质黏土)	2.1~4.1	槽探结果
淮南李咀孜矿	18~34	松散层(砂质黏土)	2.0~3.0	槽探结果
峰峰通二矿	40~80	松散层(砂质黏土)	6.0~8.0	深沟观测
峰峰通二矿	19	松散层(黏土、亚黏土)	>10.0	槽探结果

B.1.8 含水或导水断层防隔水煤(岩)柱的设计(图 B.1.8),可按下式计算:

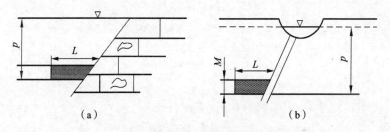

（a）　　　　　　　　　　　　（b）

图 B.1.8-1　含水或导水断层防隔水煤(岩)柱设计示例

$$L=0.5KM\sqrt{\frac{3p}{K_P}}\geqslant 20 \qquad (B.1.8)$$

式中:L——煤柱设计的宽度(m);

K——安全系数,取 2~5;

M——煤层厚度或采高(m);

p——水头压力(MPa);

K_p——煤的抗拉强度(MPa)。

B.1.9 煤层与富水性强的含水层或导水断层接触,且局部被覆盖时,防隔水煤(岩)柱的计算,应符合下列要求:

1 当含水层顶面高于最高导水裂缝带上限时,防隔水煤(岩)柱设计[图 B.1.9-1(a)、图 B.1.9-1(b)],可按下式计算:

$$L=L_1+L_2+L_3=H_a\csc\theta+H_L\cot\theta+H_L\cot\delta \quad (B.1.9-1)$$

2 最高导水裂缝带上限高于断层上盘含水层时,防隔水煤(岩)柱设计[图 B.1.9-1(c)],可按下列公式计算:

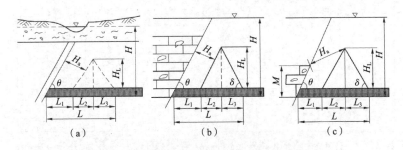

图 B.1.9-1　煤层与富水性强的含水层或导水断层
接触时防隔水煤(岩)柱设计

$$L=L_1+L_2+L_3=H_a(\sin\delta-\cos\delta\cot\theta)+(H_a\cos\delta+M)$$
$$(\cot\theta+\cot\delta)\geqslant20 \quad (B.1.9-2)$$

$$H_a=\frac{p}{T}+10 \quad (B.1.9-3)$$

式中: L——防隔水煤(岩)柱宽度(m);

L_1、L_2、L_3——防隔水煤(岩)柱各分段宽度(m);

H_L——最大导水裂缝带高度(m);

θ——断层倾角(°);

δ——岩层塌陷角(°);

M——断层上盘含水层层面高出下盘煤层底板的高度(m);

p——防隔水煤(岩)柱所承受的静水压力(MPa);

T——突水系数(MPa/m);

10——保护带厚度(m),一般取10;

H_a——断层安全防隔水煤(岩)柱的宽度(m)。H_a值应根据矿井实际观测资料（图 B.1.9-2）确定突水系数，本矿区无实际突水系数时，可按其他类似矿区资料选用，但选用时应综合隔水层的岩性、物理力学性质、巷道跨度或工作面空顶距、采煤方法和顶板控制方法等一系列因素。

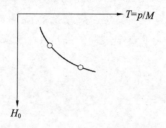

图 B.1.9-2　T 和 H_0 关系曲线图

B.1.10　在煤层位于含水层上方且断层导水的情况下（图 B.1.10-1），防隔水煤（岩）柱的设计应按煤层底部隔水层能否承受下部含水层水的压力和断层水在顺煤层方向上的压力分别计算煤柱宽度，并应取其中较大的数值，且应大于 20m，计算方法应符合下列要求：

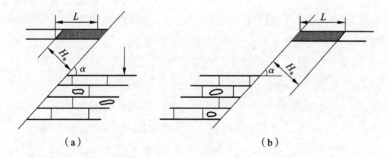

图 B.1.10-1　煤层位于含水层上方且断层导水时防隔水煤（岩）柱设计

1　当考虑底部压力时，应使煤层底板到断层面之间的最小距离（垂距），大于安全煤柱的高度 H_a 的计算值，计算结果取值不应小于 20m，可按下式计算：

$$L = \frac{H_a}{\sin\alpha} \geqslant 20 \qquad \text{(B. 1. 10)}$$

式中：α——断层倾角（°）。

2 当考虑断层水在顺煤层方向上的压力时，应按含水或导水断层防隔水煤（岩）柱的设计计算煤柱宽度。

3 断层不导水（图 B. 1.10-2），防隔水煤（岩）柱的设计尺寸，应保证含水层顶面与断层面交点至煤层底板间的最小距离，在垂直于断层走向的剖面上大于安全煤柱的高度 H_a，计算结果应大于 20m。

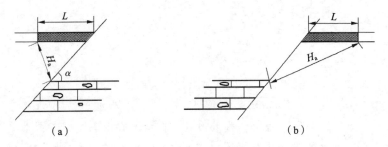

（a）   （b）

图 B. 1.10-2　煤层位于含水层上方且断层不导水时防隔水煤（岩）柱设计

B. 1. 11 水淹区或老窑积水区下采掘时，防隔水煤（岩）柱的设计应符合下列要求：

1 巷道在水淹区下或老窑积水区下掘进时，巷道与水体之间的最小距离，应大于或等于巷道高度的 10 倍。

2 在水淹区下或老窑积水区下同一煤层中进行开采，且水淹区或老窑积水区的界线已基本查明时，防隔水煤（岩）柱的尺寸应按含水或导水断层防隔水煤（岩）柱的设计计算煤柱宽度。

3 在水淹区下或老窑积水区下的煤层中进行回采时，防隔水煤（岩）柱的尺寸，应大于或等于导水裂缝带最大高度与保护带高度之和。

B. 1. 12 保护地表水体防隔水煤（岩）柱，应按裂缝角和水体采动等级所要求的安全煤（岩）柱类型相结合的方法设计，并应符合国家现行有关水体下采煤的规定。

B.1.13 保护通水钻孔防隔水煤(岩)柱的设计,应根据钻孔测斜资料换算钻孔见煤点坐标,按本附录中含水或导水断层防隔水煤(岩)柱的计方法算留设防隔水煤(岩)柱,无测斜资料时,应按钻孔允许偏斜的误差计算见煤点坐标。

B.1.14 相邻矿(井)人为边界防隔水煤(岩)柱的设计,应符合下列要求:

1 水文地质简条件单型到中等型的矿井,可采用垂直法设计,但总宽度应大于或等于40m,且每矿不应小于20m。

2 水文地质复杂型到极复杂型的矿井,应根据煤层赋存条件、地质构造、静水压力、开采上覆岩层移动角、导水裂缝带高度等因素确定,并应符合下列要求:

　　1)多煤层开采,当上、下两层煤的层间距小于下层煤开采后的导水裂缝带高度时,下层煤的边界防隔水煤(岩)柱,应根据最上一层煤的岩层移动角和煤层间距向下推算[图 B.1.14-1(a)]。

　　2)当上、下两层煤之间的垂距大于下煤层开采后的导水裂缝带高度时,上、下煤层的防隔水煤(岩)柱,可分别设计[图 B.1.14-1(b)]。

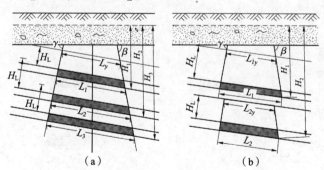

图 B.1.14-1 多煤层地区边界防隔水煤(岩)柱设计

H_{li}—导水裂缝带上限;H_1、H_2、H_3—各煤层底板以上的静水位高度;

γ—上山岩层移动角;β—下山岩层移动角;L_y、L_{1y}、L_{2y}—导水裂缝带上限岩柱宽度;

L_1—上层煤防水煤柱宽度;L_2、L_3—下层煤防水煤柱宽度

3 导水裂缝带上限岩柱宽度 L_y，可采用下式计算：

$$L_y = \frac{H - H_L}{10} \times \frac{1}{T} \geqslant 20 \qquad (B.1.14)$$

式中：L_y——导水裂缝带上限岩柱宽度（m）；

H——煤层底板以上的静水位高度（m）；

H_{li}——导水裂缝带最大值（m）；

T——水压与岩柱宽度的比值，可取 1。

B.1.15 以断层为界的井田防隔水煤（岩）柱的设计，可按断层煤柱设计，并应以不破坏另一侧所留煤（岩）柱为原则；也可按图 B.1.15 所示进行设计。

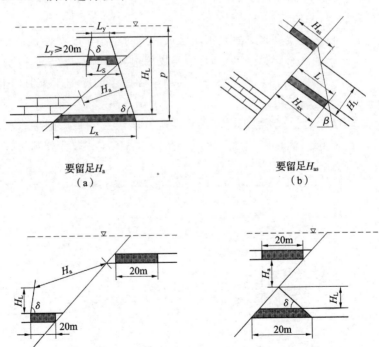

要留足 H_a

（a）

要留足 H_{as}

（b）

断层不导水
要留足 H_a

（c）

断层不导水
要留足 H_a

（d）

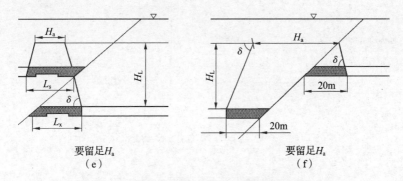

要留足H_a
（e）

要留足H_a
（f）

图 B.1.15　以断层分界的井田防隔水煤（岩）柱设计

L—煤柱宽度；L_s、L_x—上、下煤层的煤柱宽度；

L_y—导水裂缝带上限岩柱宽度；H_a、H_{as}、H_{ax}—安全防水岩柱厚度；

H_{li}—导水裂缝带上限；p—底板隔水层承受的水头压力

B.2　水体上采煤的防水安全煤（岩）柱设计方法

B.2.1　水体上采煤的防水安全煤（岩）柱设计，应符合下列要求：

1　煤柱的留设范围应防止底板采动导水破坏带波及水体，或与承压水导升带沟通。

2　设计的底板防水安全煤（岩）柱厚度 h_a 与导水破坏带 h_1 和阻水带厚度 h_2 之间的关系[图 B.2.1-1(a)]，应符合下式要求：

$$h_a \geqslant h_1 + h_2 \qquad (B.2.1-1)$$

3　底板含水层上部存在承压水导升带 h_3 时，底板安全煤（岩）柱厚度 h_a 与导水破坏带 h_1、阻水带厚度 h_2 及承压水导升带 h_3 之间的关系[图 B.2.1-1(b)]，应符合下式要求：

$$h_a \geqslant h_1 + h_2 + h_3 \qquad (B.2.1-2)$$

4　底板含水层顶部存在被泥质物充填的厚度稳定的隔水带时，底板安全煤（岩）柱厚度 h_a 与导水破坏带 h_1、阻水带厚度 h_2 及充填隔水带厚度 h_4 之间的关系[图 B.2.1-1(c)]，应符合下式要求：

$$h_a \geqslant h_1 + h_2 + h_4 \qquad (B.2.1-3)$$

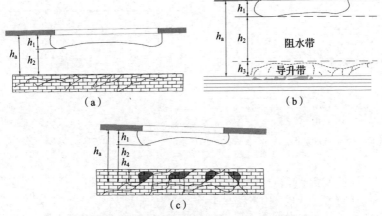

图 B.2.1-1 底板防水安全煤(岩)柱设计示意图

a—无导升带的正常底板条件;b—存在导升带;
c—底板含水层顶部存在充填隔水带

B.2.2 防水安全煤(岩)柱基本参数的计算,应符合下列要求:

1 底板采动导水破坏带深度 h_1,可采用下列统计公式法或理论计算法进行计算:

   1)仅按工作面斜长的统计公式法计算底板采动导水破坏带深度,可按下列公式计算:

$$h_1 = 0.7007 + 0.1079L \qquad \text{(B.2.2-1)}$$

$$h_1 = 0.303L^{0.8} \qquad \text{(B.2.2-2)}$$

   2)仅按工作面斜长和按采深、倾角和工作面斜长的统计公式法计算底板采动导水破坏带深度,可按下式计算:

$$h_1 = 0.0085H + 0.1665\alpha + 0.1079L - 4.3579 \text{(B.2.2-3)}$$

式中:h_1——底板采动导水破坏带深度(m);

   L——壁式工作面斜长(m);

   H——开采深度(m);

   α——煤层倾角(°)。

   3)理论计算法计算底板采动导水破坏带深度,可按下列公式计算:

$$h_1 = 1.57\gamma^2 H^2 L/4R_c^2 \qquad \text{(B. 2. 2-4)}$$

$$h_1 = \frac{0.015H\cos\varphi_0}{2\cos\left(\dfrac{\pi}{4}+\dfrac{\varphi_0}{2}\right)}\exp\left[\left(\dfrac{\pi}{4}+\dfrac{\varphi_0}{2}\right)\mathrm{tg}\varphi_0\right] \qquad \text{(B. 2. 2-5)}$$

式中：γ——底板岩体平均容重（MN/m³）；

$\quad H$——采深（m）；

$\quad L$——壁式工作面斜长（m）；

$\quad R_c$——岩体抗压强度（MPa），一般取岩石单轴抗压强度的
0.15 倍；

$\quad \varphi_0$——底板岩体内摩擦角（°）。

    4）断层带附近的采动导水破坏带深度应在本款第 1 项～第
3 项计算结果的基础上乘以 1.5～2.0 的系数。

  2 底板阻水带厚度 h_2 可采用下列试验法或理论计算法进行
计算：

    1）试验法计算底板阻水带厚度 h_2 可按下式计算：

$$h_2 = \frac{P}{Z} \qquad \text{(B. 2. 2-6)}$$

$$Z = \frac{P_b}{R} \qquad \text{(B. 2. 2-7)}$$

$$P_b = 3\sigma_h - \sigma_H + T - P_0 \qquad \text{(B. 2. 2-8)}$$

式中：h_2——底板阻水带厚度（m）；

$\quad P$——作用在底板上的水压力（MPa）；

$\quad Z$——阻水系数（MPa/m），我国部分矿区也可按表 B. 2. 2-
1、表 B. 2. 2-2 选取，也可按不同岩层阻水系数取值：
中、粗粒砂岩 0.3～0.5、细粒砂岩 0.3、粉砂岩 0.2、泥
岩 0.1～0.3、石灰岩 0.4；断层带 0.05～0.1。

$\quad R$——裂缝扩展半径（m），一般取 40～50；

$\quad P_b$——岩体破裂压力（MPa）；

$\quad P_b$——使岩体破裂时的临界水压力（MPa）；

$\quad \sigma_h$——作用于岩体的最小水平主应力（MPa）；

σ_H——作用于岩体的最大水平主应力(MPa);

T——岩体的抗拉强度(MPa);

P_0——岩体孔隙中的水压力(MPa)。

表 B. 2. 2-1　钻孔水力压裂试验底板岩层阻水系数资料

试验地点	岩性	试验序号	破裂压力 P_b(MPa)	阻水系数 Z(MPa/m)	平均阻水系数 Z_c (MPa/m)	备注
开滦赵各庄矿井下五道巷,取样深度434m	中粒砂岩	1	13.44	0.313	0.331	现场钻孔水力压裂试验,破裂半径 R 取 43m
		2	15.00	0.349		
	细粒砂岩	1	10.44	0.243	0.285	
		2	14.00	0.326		
	粉砂岩	1	9.00	0.209	0.194	
		2	7.69	0.179		
	泥岩	1	12.62	0.293	0.293	
	铝土岩	1	4.89	0.114	0.114	
开滦赵各庄矿井下十二道巷,取样深度1070m	中粗粒砂岩	1	25.00	0.581	0.491	室内三向围压水力压裂试验,取样于开滦赵各庄矿。三向围压: $\sigma_1 = 24.0 MPa \sim$ 24.5MPa $\sigma_2 = 13.1 MPa \sim$ 14.2MPa $\sigma_3 = 19.0 MPa \sim$ 20.5MPa
		2	27.00	0.628		
		3	20.00	0.465		
		4	12.50	0.290		
	中粒砂岩	1	15.00	0.349	0.377	
		2	9.00	0.210		
		3	20.0	0.465		
		4	14.00	0.326		
		5	23.00	0.535		
	细粒砂岩	1	13.00	0.302	0.302	
	细砂岩	1	5.00	0.116	0.209	
		2	13.00	0.302		
	泥岩	1	15.00	0.349	0.393	
		2	15.00	0.349		
		3	17.50	0.406		
		4	20.20	0.470		

试验地点	岩性	试验序号	破裂压力 P_b(MPa)	阻水系数 Z(MPa/m)	平均阻水系数 Z_c (MPa/m)	备注
焦作九里山矿，取样深度约300m	石灰岩	1	25.00	0.581	0.399	室内三向围压水力压裂试验模拟焦作九里山矿三向围压：$\sigma_1=8.94\text{MPa}$ $\sigma_2=3.84\text{MPa}$ $\sigma_3=2.95\text{MPa}$
		2	10.50	0.244		
		3	16.00	0.372		

表 B.2.2-2 钻孔压水串通破坏试验底板岩层阻水系数资料

试验地点	岩性	压水孔间距 (m)	水压力(MPa)	阻水系数 (MPa/m)
峰峰二矿	砂质页岩 （在采动破坏带内）	10	＞1.24	＞0.124
峰峰三矿	页岩层内	2.5	＞2.50	＞1.000
		1.7	＞2.50	＞1.471
峰峰三矿	砂质泥岩充填在古陷落柱内	1	2.7～2.9	2.7～2.9
王凤矿小青煤绞车道	细砂岩			0.50
	铝土泥岩			0.43
王凤矿小青煤南五巷上山	断层带	10	2.2	0.22
王凤矿一坑	粉砂岩、中粒砂岩、铝土泥岩	13	1.21	0.093
马沟渠矿	石英砂岩、砂岩、粉砂岩、铝土泥岩		0.73～0.80	0.13～0.24
鹤壁一矿	铝土泥岩、粗砂岩	2.45 6.80	0.78	0.112～0.325

2) 理论计算法计算底板阻水带厚度 h_2 可按下列公式计算:

$$h_2 = \frac{\sqrt{\gamma^2 + 2A(P - \gamma h_1)S_t} - \gamma}{AS_t} \qquad (\text{B.2.2-9})$$

$$A = \frac{12L^2}{L_y^2(\sqrt{L_y^2 + 3L^2} - L_y)^2} \qquad (\text{B.2.2-10})$$

式中:h_2——底板阻水带厚度(m);

h_1——底板采动导水破坏带深度(m);

γ——底板岩层平均容重(MN/m³);

P——作用于该区底部的水压(MPa);

S_t——底板岩体抗拉强度(MPa),一般取岩石抗拉强度的 0.15 倍;

L——壁式工作面斜长(m);

L_y——沿推进方向工作面老顶初次来压步距(m)。

3 承压水导升带的高度 h_3 可采用物探和钻探方法确定,可在井下巷道中用电测深方法进行探测,必要时可用钻探验证。当井下物探与钻探条件受限制时,也可通过以往勘探钻孔资料分析确定。断层带附近的承压水导升带高度应比正常岩层中大。

4 底板含水层顶部充填隔水带厚度 h_4 可采用物探和钻探方法综合确定,有现场实测结果时也可按表 B.2.2-3 确定。

表 B.2.2-3　各矿区奥陶系灰岩含水层顶部充填隔水带厚度实测资料

矿区	焦作	峰峰	邯邢	肥城	霍州	渭北、韩城
奥灰顶部充填隔水带厚度(m)	20~30	20	0~30	0~50	10~15	10~20
充填特征	有黏土充填裂隙	黏土或钙质充填裂隙	局部充填	黏土充填含水差	后期沉积物充填	充填

B.2.3 当计算所得安全煤(岩)柱尺寸 h_a 小于煤层底至含水层顶之间的实际厚度 h_d 时,承压含水层上采煤的安全度应符合要求;当计算所得安全煤(岩)柱 h_a 大于实际厚度时,可采用下列方法进一步评定:

1 底板受构造破坏块段突水系数不应大于 0.06MPa/m,正常块段不应大于 0.1MPa/m。当计算的突水系数小于临界突水系数时,可实现安全开采;当计算的突水系数大于等于临界突水系数时,需要采用疏水降压、注浆加固等措施。底板突水系数可采用下式计算:

$$T_s = \frac{P}{M} \qquad (B.2.3-1)$$

式中:T_s——突水系数(MPa/m),部分矿区的临界突水系数值可按表 B.2.3-1 选取;

P——底板隔水层承受的水压(MPa);

M——底板隔水层厚度(m)。

2 在底板构造破坏块段突水系数不大于 0.06MPa/m,且正常块段不大于 0.10MPa/m 的区域,可布置开拓巷道。

3 在底板构造破坏块段突水系数大于 0.06MPa/m,且正常块段大于 0.10MPa/m 的区域,应采取疏水降压、注浆加固等措施,并应对其突水危险性进行评价后,再布置开拓开采巷道。

表 B.2.3-1 部分矿区的临界突水系数值

矿区名称	峰峰	焦作	淄博	井陉
突水系数(MPa/m)	0.066~0.076	0.06~0.10	0.06~0.10	0.06~0.15

4 底板所能承受的极限水压力 P_j 应大于实际水压力 P,底板所能承受的极限水压力 P_j 小于等于实际水压力 P 时,应采用疏水降压后再开采。部分矿(区)底板所能承受的极限水压力 P_j,可根据底板实际厚度 h_d 按表 B.2.3-2 计算。

表 B.2.3-2   底板实际厚度 h_d 与极限水压力 P_j 关系表

序号	矿区名称	矿井	极限水压力 P_j 与底板实际厚度 h_d 的关系
1	淄博矿区	黑山矿	$P_j = 0.00177h_d^2 + 0.015h_d - 0.43$
		石谷矿和夏庄矿	$P_j = 0.0016h_d^2 + 0.015h_d - 0.3$
		洪山矿和寨里矿	$P_j = 0.001h_d^2 + 0.015h_d - 0.158$
		双山矿和埠村矿	$P_j = 0.00084h_d^2 + 0.015h_d - 0.168$
2	焦作矿区		$P_j = 0.0017h_d^2 - 0.025h_d + 0.33$
3	峰峰矿区		$P_j = 0.0006h_d^2 + 0.026h_d$

5   当计算的极限水压力 P_j 小于等于实际水压力 P 时,应采用疏水降压、注浆加固后再开采,底板岩柱实际所能承受的极限水压力 P_j 可采用下式计算:

$$P_j = \frac{12L^2}{L_y^2(\sqrt{L_y^2 + 3L^2} - L_y)^2}(h_d - h_1)^2 S_t + \gamma h_d$$

(B.2.3-2)

附录 C 防水闸门碉室墙体长度计算方法

C.0.1 防水闸门(墙)碉室可根据承受水压的大小,选择圆柱形(图 C.0.1-1)、楔形(图 C.0.1-2)、倒截锥形(图 C.0.1-3)结构形式。

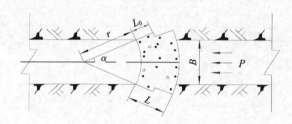

图 C.0.1-1 圆柱形防水闸门(墙)碉室结构形式示意

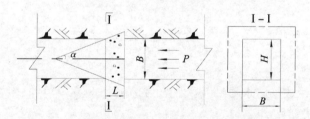

图 C.0.1-2 楔形防水闸门(墙)碉室结构形式示意

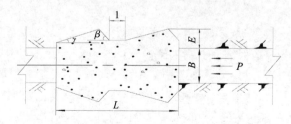

图 C.0.1-3 倒截锥形防水闸门(墙)碉室结构形式示意

C.0.2 防水闸门(墙)硐室采用混凝土支护时,应符合现行国家标准《混凝土结构设计规范》GB 50010 的有关规定,混凝土强度设计值应按表 C.0.2 选取。

表 C.0.2　混凝土强度设计值

强度种类	符号	混凝土强度设计值													
		C15	C20	C25	C30	C35	C40	C45	C50	C55	C60	C65	C70	C75	C85
轴心抗压	f_c	7.2	9.6	11.9	14.3	16.7	19.1	21.1	23.1	25.3	27.5	29.7	31.8	33.8	35.9
抗拉	f_t	0.91	1.10	1.27	1.43	1.57	1.71	1.80	1.89	1.96	2.04	2.09	2.14	2.18	2.22

C.0.3 承受水压不大于 1.6MPa 的防水闸门(墙)硐室墙体长度计算,应符合下列要求:

1 圆柱形防水闸门(墙)硐室(本规范图 C.0.1-1),墙体尺寸可按下列公式计算:

$$r = \frac{B}{2\sin\alpha} \tag{C.0.3-1}$$

$$L_0 = \frac{r}{\dfrac{n f_{cc}}{r_0 r_f r_d P} - 1} \tag{C.0.3-2}$$

$$L = nL_0 \tag{C.0.3-3}$$

2 楔形防水闸门(墙)硐室(本规范图 C.0.1-2),墙体尺寸可按下式计算:

$$L = \frac{H+B}{4\mathrm{tg}\alpha}\left(\sqrt{1 + \frac{4r_0 r_f r_d HBP}{(B+H)^2 f_{cc}}} - 1\right) \tag{C.0.3-4}$$

式中:r——闸门墙体圆柱内侧半径(m);

B——闸门墙体前、后巷道净宽(m);

α——凸基座支承面与硐室中心线间夹角(°)。一般取 20°~30°,围岩分类为 I、II 类时,取大值;其他类型围岩时,取小值;

L_0——一段闸门墙体长度(m);

n——闸门墙体分段段数；

f_{cc}——素混凝土的轴心抗压强度设计值（MPa）。其值按混凝土轴心抗压强度设计值 f_c 值乘以系数 0.85 确定；

r_0——结构的重要性系数，取 1.1；

r_f——作用的分项系数，取 1.3；

r_d——结构系数，取 1.20～1.75，硐室净断面积大时取大值；

P——防水闸门硐室设计承受的水压（MPa）；

H——闸门墙体前、后巷道净高（m）；

L——闸门墙体长度（m）。

C.0.4 承受水压大于 1.6MPa 的倒截锥形防水闸门（墙）硐室（本规范图 C.0.1-3），墙体尺寸可按下列公式计算：

$$L_i = \frac{\ln(r_0 r_f r_d P) - \ln(f_t)}{0.3986} \qquad (C.0.4-1)$$

$$L = L_i + L_0 \qquad (C.0.4-2)$$

$$S_2 = \frac{(r_0 r_f r_d r_{sd} P + f_{cc})S}{f_{cc}} \qquad (C.0.4-3)$$

$$E = \frac{-(\pi\pi + 2B + 4h_3)}{2(4+\pi)}$$
$$+ \frac{\sqrt{(\pi\pi + 2B + 4h_3)^2 - 4(4+\pi)(2Bh_3 + 0.25\pi B^2 - 2S_2)}}{2(4+\pi)}$$

$$(C.0.4-4)$$

式中：L_i——闸门墙体应力衰减段计算长度（m）；

$\ln$——自然对数符号；

r_d——断面系数，取 1.2～2.0，水压大、硐室净断面积大时取大值；

f_t——混凝土轴心抗拉强度设计值（MPa）；

L_0——闸门墙体应力回升段长度，取 1.0m～2.0m；

S_2——防水闸门硐室最大掘进断面积（m²）；

r_{sd}——作用不定性系数，取 1.2～2.0，水压大、围岩抗压强度较低时取大值；

S——闸门墙体前、后巷道净断面积(m^2)；

E——闸门墙体嵌入围岩深度(含砌壁厚)(m)；

h_3——闸门墙体前、后巷道墙高(m)；

图 C.0.1-3 中的倒截锥形防水闸门(墙)结构参数可按下列要求取值：

β——不小于 $50°$；

γ——一般取 $20°$；

l——围岩较软时所设的平直段(m)，取 $0.5\sim1.0$，闸门墙体长度长时取大值，闸门墙体长度短时取小值。

本规范用词说明

1 为便于在执行本规范条文时区别对待，对要求严格程度不同的用词说明如下：

   1）表示很严格，非这样做不可的：

     正面词采用"必须"，反面词采用"严禁"；

   2）表示严格，在正常情况下均应这样做的：

     正面词采用"应"，反面词采用"不应"或"不得"；

   3）表示允许稍有选择，在条件许可时首先应这样做的：

     正面词采用"宜"，反面词采用"不宜"；

   4）表示有选择，在一定条件下可以这样做的，采用"可"。

2 条文中指明应按其他有关标准执行的写法为："应符合……的规定"或"应按……执行"。

引用标准名录

《混凝土结构设计规范》GB 50010
《煤矿井巷工程质量验收规范》GB 50213
《煤炭工业矿井设计规范》GB 50215
《煤矿井底车场硐室设计规范》GB 50416
《煤矿巷道断面及交岔点设计规范》GB 50419
《煤矿井下排水泵站及排水管路设计规范》GB 50451

中华人民共和国国家标准

煤炭矿井防治水设计规范

GB 51070-2014

条 文 说 明

制 订 说 明

《煤炭矿井防治水设计规范》GB 51070—2014,经住房和城乡建设部 2014 年 12 月 2 日以第 666 号公告批准发布。

为便于各单位和有关人员在使用本规范时能正确理解和执行本规范,《煤炭矿井防治水设计规范》编制组按章、节、条顺序编制了本规范的条文说明,对条文规定的目的、依据以及执行中需注意的有关事项进行了说明,还着重对强制性条文的强制性理由做了解释。但是,本条文说明不具备与标准正文同等的法律效力,仅供使用者作为理解和把握规范规定的参考。

目　次

1 总 则

1.0.1 本条阐明了制定《煤炭矿井防治水设计规范》的依据和目的。

    1 国家对煤炭矿井防治水工作一直很重视,曾颁发了一系列与煤炭矿井防治水有关的法律法规和方针政策,如《煤矿安全规程》、《煤矿防治水规定》、《矿井水文地质规程》(已废止)、《煤矿防治水工作条例》(已废止)等,现行的《煤矿安全规程》、《煤矿防治水规定》是对煤炭矿井防治水工作进行宏观指导的根本法规,是制定本规范的基本原则和依据,必须认真贯彻执行。

    2 我国作为煤炭生产大国,随着开采规模的迅速扩大,开采深度的不断增加,地质构造及其他开采技术条件愈发复杂,开采时所承受的水压越来越大,所面临的水害问题日益突出,这不仅使劳动生产率不断下降,还严重影响工人的身心健康,威胁着井下人员的生命安全。因此,根据国家现行有关煤炭工业的法律法规、方针政策和水害防治中应遵循的原则,本着以人为本、安全、科学发展的理念,按照"设计可靠、技术先进、经济合理"原则,推广近年国内外矿井水害防治中行之有效的先进技术和实践经验,进行煤炭矿井防治水设计,这是制订本规范的目的。

1.0.2 本条明确了本规范的适用范围,其实质是包含所有煤炭矿井各阶段设计中有关防治水设计的内容。

1.0.3 本条规定了执行本规范的共性要求及应遵循的基本原则。由于我国的煤炭矿井防治水技术尚处于发展阶段,需要正确引导使用新技术、新工艺、新材料、新设备。防治水工程投资、运行费用均较高,考虑到我国的实际国情,在进行防治水专项设计时,应使矿井防治水设计做到安全、环保、节能、高效、技术可行,经济合理。

2 术 语

本规范术语的定义及范围是参照现行国家标准《煤炭矿井工程基本术语标准》GB/T 50562 和《煤矿安全规程》附录一等制定的。

3 基 本 规 定

3.0.1 "预测预报、有疑必探、先探后掘、先治后采"的防治水十六字方针,是防治水设计的原则,也是水害防治工作的基本程序。"预测预报"是水害防治的基础,是指在查清矿井水文地质条件基础上,运用先进的水害预测预报理论和方法,对矿井水害做出科学的分析判断和评价。"有疑必探"是指根据水害预测预报评价结论,对可能构成水害威胁的区域,采用物探、化探和钻探等综合探测技术手段,查明或排除水害。"先探后掘"是指先综合探查,确定巷道掘进没有水害威胁后再掘进施工。"先治后采"是指根据查明的水害情况,采取有针对性的治理措施排除水害隐患后,再安排采掘工程,如井下巷道穿越导水断层时必须预先注浆加固方可掘进施工,防止突水造成灾害。

防、堵、疏、排、截等综合防治水技术措施,是水害治理的五项基本措施技术方法,一般都需要采用其中的多项技术措施组合才能进行综合治理。"防"主要指合理留设各类防隔水煤(岩)柱和修建各类防水闸门或防水闸墙等,防隔水煤(岩)柱一旦确定后,不得随意开采破坏。"堵"主要指注浆封堵具有突水威胁的含水层或导水断层、裂隙和陷落柱等通道。"疏"主要指探放老空水和对承压含水层进行疏水降压。"排"主要指完善矿井排水系统,排水管路、水泵、水仓和供电系统等必须配套。"截"主要指加强地表水(河流、水库、洪水等)的截流治理。

3.0.2 为加强煤矿防治水基础工作,矿井防治水设计工作应按有关规定配设专门的探放水作业队伍和满足工作需要的防治水专业技术人员,所配备的专业技术人员的数量与专业以满足工作需要为标准。专用探放水设备应符合相关规程规定要求。

按照本规范的要求,确定为水文地质条件复杂、极复杂的煤矿企业(集团)、矿井要设立专门防治水机构(可与地测部门合署办公),专业技术人员担任防治水机构负责人,以保证防治水工作得到充分重视,各项工作能够顺利开展。

3.0.3 本条是为保证矿井防治水设计技术措施技术上可行、经济上合理而制定的。

3.0.4 本条是为保证水害事故发生时,井下人员能有效、有序、合理地进行避灾、避险。

3.0.5 本条明确矿井水文地质类型的划分,应以现行《煤矿防治水规定》的有关规定为执行标准。

4 水文地质及基础资料分析

4.0.1 经有关部门组织专家评审备案的井田勘探报告及经企业组织审查的专门水文地质勘探报告是针对不同水文地质条件的矿井进行防治水设计的基础资料、基本依据和必要条件,报告准确与否,直接关系到防治水设计的可靠性和合理性,关系到防治水设计所采用措施的效果。

4.0.2 矿井在建井、生产期间实际揭露的地质、水文地质情况比勘探阶段更直接和精细,一些水文地质问题揭露更充分和具体,因此,对于改建、扩建矿井及生产矿井,除利用矿井地质勘探报告、专门水文地质勘探报告外,利用建井、生产期间地质报告资料,对揭露的水文地质资料更符合矿井的实际情况,使得防治水设计更具针对性,防止水害事故发生更为有效。

4.0.3 鉴于大多数地质专家和水文地质专家并非矿建、采煤、矿井防治水方面的专家,因此,矿井防治水设计应对地质资料和水文地质资料进行认真分析研究,并作出评价。

评价应着重三个方面:一是有关水文地质勘探程度及可靠性是否达到相关规范要求和矿井防治水设计文件编制的要求;二是水文地质资料是否满足矿井防治水要求的深度和广度;三是当某些内容不能满足矿井防治水设计文件编制要求或与相关规程、规范不一致时,应提出下一步水文地质工作意见及水文地质补充勘探的要求。

根据矿井受采掘破坏或者影响的含水层及水体、矿井及周边老空水分布状况、矿井涌水量或者突水量分布规律、矿井开采受水害影响程度以及防治水工作难易程度,矿井水文地质类型划分为简单、中等、复杂、极复杂等 4 种。具体划分原则详见

《煤矿防治水规定》中相关内容。对矿井水文地质类型的正确划分对矿井防治水工作具有重要意义,对于指导矿井排水系统建设,排水设备选型,抗灾设施及设备的布置、防治水工程量的大小起到关键作用。

5 开 拓 开 采

5.0.1 在富水性强的含水层、导水构造带附近布置井筒和井下巷道,其施工期间涌水量很大,会严重影响施工进度、施工排水及井巷投资等,严重的情况可能引发突水事故,因此,在设计中选择井巷层位时,避开富水性强的含水层、导水构造带有利于减少矿井建设投资和建设工期及井巷维护工程量。

5.0.2 当井筒穿过特殊地层时,采用普通法施工技术上不可行,经济上不合理,安全上不可靠时,应根据井筒检查孔资料及井筒的直径、深度、特殊地层特点等因素,通过技术、经济比较,选择合理的深度范围,采用注浆、冻结、帷幕或钻井等其他可靠的特殊施工技术。注浆、冻结、帷幕及钻井等特殊施工技术已发展成熟,在不同类型特殊地层的矿井、矿区都有很多成功的案例,选用时应以安全可靠性为主。

5.0.3 老(采)空区内可能聚集大量有毒有害气体、水和遗煤,另外,老(采)空区顶底板及围岩稳定性较差,因此,老(采)空区条件极为复杂,井巷穿过老(采)空区,很容易引起有害气体、水、火等方面的事故,也增加工程造价和井巷维护成本,因此,矿井设计布置井巷不应穿过老(采)空区。有些老矿区的矿井改造、接替延深时,井巷可能确需穿过老空区时,穿过该区域必须采取防治有毒有害气体、水和自燃等相关安全技术措施,还要对顶底板和围岩情况进行监测、处理,确保井巷施工、维护过程中稳固、安全及功能使用。

5.0.4 本条的目的一是尽量建立矿井水自排系统,二是井下巷道按过水量设排水沟。

5.0.5 当煤层顶部有强承压含水层时,一方面受煤层开采过程影响,煤系顶部裂隙或断裂破碎带上升,另一方面强承压含水层压力作用,含水层底部产生裂隙,煤层极可能与顶部的强承压含水层沟通,引发透水事故。强承压含水层上部存在承压水导高带,承压水导高带分为两部分,即原始导高带和承压水导升带,二者之和即为承压水导高带。由于承压水导高带的存在,特别是"采动导升带"的存在,容易发生开采过后的滞后突水,直接影响煤层的安全开采。当煤层底部有强承压含水层时,如果煤层底板至含水层顶面之间的隔水层在采煤扰动或受构造影响时遭到破坏而破碎,就会诱发煤层底板高压含水层突水。井下主要巷道影响范围大、服务年限长,煤层顶、底板有强承压含水层时,始终是矿井水害的重大隐患,为避免造成透水淹井灾害,矿井井下主要巷道应当布置在不受水害威胁的层位中,主要为了缩小透水影响范围,减轻水害损失程度,同时也能节省投资和缩短建设工期。

根据水害威胁程度进行分区隔离开采主要目的是可以分区治理、分区管理,一旦发生透水,可及时封闭水害影响区域,保证相邻区域和矿井其他区域的安全开采。隔离措施目前主要有留设防水煤柱、设防水闸门硐室等。

5.0.6 本条规定的目的就是通过计算底板突水危险区域的突水系数,确定突水危险区域,总体要求在非突水危险区域布置开拓、开采巷道,如果不满足要求应通过治理,在满足条件后方可在该区域布置开拓、开采巷道。

5.0.7 由于采用仰斜开采,工作面及顶底板涌出的水全部流向采空区,如不设排水系统,易于造成采空区大量积水,涌水量较大时,还会威胁到工作面作业人员的生命安全和设备的安全,同时形成的危险源也为后续安全开采带来威胁,因此本条作为强条,必须严格执行。

5.0.8 设置排水系统及设施主要是为了有利于生产期间容易形成积水区域的矿井水排放。

5.0.9、5.0.10 充水水源(含水层、地表水)与导水通道(断层、裂隙带、陷落柱、封闭不良钻孔)二者之间的有机结合构成矿坑充水条件,采掘工作面穿过与上述水源存在水力联系的导水通道时,在巷道掘进过程中,具有突水危险性,应提出探、防、堵等综合防治水措施后,在确定安全的条件下,方可进行采掘。目前,钻孔探水是最为直接、可靠、简单、廉价的方法,因此,防治水设计要求必须以钻探为主,其他方法为辅的综合探测方法。

6 水体下采煤

6.0.1 本条是关于在地面水体、松散含水层下采煤的规定。

本条所指的水体主要为地面水体,包括河流、湖泊、水库和海域等,由于地下煤层的开采将使上覆岩层移动和破坏并导致地表下沉,当回采工作面推进一定距离,直接顶将开始垮落,当直接顶垮落一定距离,老顶(基本顶)也发生断裂,在基本顶之上的岩层直至地表都将发生变化,形成了"三带",即"冒落带"、"裂隙带"、"弯曲下沉带"。"三带"的发育高度与矿井水文地质及工程地质条件、开采方法、开采高度和顶板控制方法等存在着密切关系,在矿井水文地质条件及工程地质条件一定的情况下,合理选择开采方法、开采高度及顶板控制方法等,将决定"三带"的发育高度。"三带"的发育高度对地面水体与井下开采过程中的涌水有较大的影响,甚至可能地面水体在矿井开采过程中直接通过"三带"导入井下,从而发生透水事故。

为了保护地面水体和保障生产安全,在河流、湖泊、水库和海域等地面水体下采煤,应该按照《建筑物、水体、铁路及主要井巷煤柱留设与压煤开采规程》和本规范附录 A 计算应该留设的防隔水煤(岩)柱的尺寸。

在松散含水层下进行开采时,首先要根据地层的水文地质资料、主要含水层的富水性和《建筑物、水体、铁路及主要井巷煤柱留设与压煤开采规程》的规定确定水体采动等级。防隔水煤(岩)柱指的是能够防止工作面不额外增加涌水量的煤(岩)柱,其最小垂直高度必须等于或大于导水裂缝带的最大高度加保护层厚度。防砂煤(岩)柱指的是能够防止工作面不额外增加长期涌水量并且能够防止工作面发生溃水、溃砂的煤(岩)柱,其最小垂直高度必须等于或大于垮落带的最大高度加保护层厚度。防塌煤(岩)柱指的是能够防止工作面不额外增加永久性涌水量,并且能够防止工作面溃砂的煤(岩)柱,其最小垂直高度必须等于或接近于垮落带的最大高度。

6.0.2 防水煤(岩)柱的尺寸与矿井水文地质条件及工程地质条件、开采方法、开采高度和顶板控制方法等因素有密切关系,应结合《建筑物、水体、铁路及主要井巷煤柱留设与压煤开采规程》及《煤矿防治水规定》中有关水体下开采的相关规定,合理控制开采范围和开采高度,按照本规范附录 A 计算留设防水煤(岩)柱的尺寸。

6.0.3 本条规定了在基岩含水层(体)或地面水体或者含水断裂带下布置采煤工作面时,设计过程中应采用的主要防治水方法。重点要对覆岩的渗透性及含水层之间的水力联系进行分析,结合上覆水体类型、富水性及"三带"发育特征,在技术可行,经济合理,安全可靠的前提下,选择适合矿井地质条件的防治水措施,如留设防隔水煤(岩)柱、疏干开采或充填开采等防治水方法。

6.0.4 本条规定了在不同条件水体下布置采掘工作面的具体要求。其中第 1 款为强制性条款,必须严格遵守,因为急倾斜煤层开采即使留设煤柱,下部开采后还会抽冒,很容易造成工作面与上覆水体的沟通。

6.0.5 水情监测对水体下采煤非常重要,可以及时掌握水体与开采之间的变化关系,为及时调整防治水措施和开采工艺提供依据。水情监测包括地表水情监测和地下水情监测。地表水情监测一般包括水位、水质、流量和汛期降雨量变化等。地下水情监测包括水位、水质、水温变化等。水体底界面的变形监测主要在地表水体底界面进行。有条件矿井在矿井设计阶段就可考虑设立水情自动监测系统。

7 探测及探放水

7.0.1 根据矿井水文地质条件,对可能构成水害威胁的区域,综合采用矿井物探、坑道钻探、突水监测、水位测试、水质分析及放水试验等多种方法和手段,查清矿井充水条件(水源、通道),为现场制定、实施矿井防治水措施提供依据,因此,防治水设计应根据所选定的一种或多种探测方法,配备相应的探测设备和仪器仪表。

7.0.2 矿井在防治水设计过程中,应根据矿井水文地质条件,配备水文观测系统,以提高水位、水压观测的连续性、可靠性及精度要求,为动态观测水位、水压提供保证,以便在水位、水压出现异常或存在突水危险时,及时采取有效的疏水降压措施,减小动水压力影响。

7.0.3 本条规定了应编制探放水设计的前提条件,满足其中任何一条都应进行这项工作。

7.0.4 在采掘工作面施工前,对水患威胁区域确定探放措施后,要收集资料,编制探放水设计,确定积水线、探水线及警戒线的位置,并绘制在采掘工程平面图上,严格按照探放水设计进行探放水。设计内容及主要设计参数包括:探放水地区的水文地质条件,探放水巷道的开掘方向、施工次序、规格和支护形式;探放水钻孔组数、个数、方向、角度、深度和施工技术要求及采用的超前距与帮距;探放水施工与掘进工作的安全规定;受水威胁地区信号联系和避灾线路的确定;通风措施和瓦斯检查制度,要制定防止在探水过程中瓦斯或其他有害气体涌出的防治措施;防排水设施,如水闸门、水闸墙等的设计以及水仓、水泵、管路和水沟等排水系统及能力的具体安排等。

7.0.5 矿井探放水工作有高压水威胁,且必须在一定的安全距离范围内才能进行探放,因此,应根据水压等因素考虑合理的超前距离、根据煤（岩）物理性质确定的钻孔直径及设备能力等参数进行探放水设备及其配套设备的选型。

7.0.6 为保证在矿井设计阶段制定的探放水措施能够得到有效实施，从防治水设计阶段就应要求配齐专用探放水设备及其配套设备，因为专用设备具有钻探深度大且可以固定防喷性能，因此，矿井探放水必须用专用探放水钻机。另外，探放水作业是专业性很强的工作，同时还要求操作人员具备防治水方面综合知识的能力，建立专业的探放水队伍，才能保证防治水工作的专业化，使得各项工作也能够顺利开展。

7.0.9 考虑探放水工作始终伴随采掘工程，因此，探放水钻机应该考虑备用，备用量为 30%，并不少于 1 套。

7.0.10 鉴于井下现场空间有限，施工不便，为了提高效率和降低成本，在对井下钻孔设计时要考虑一孔多用，如探查构造、煤层的钻孔可兼作堵水、疏水之用等。

终孔孔径一般不得大于 75mm，主要是从探水现场的围岩稳定性方面考虑的。如此条件下，探放水钻孔的开孔孔径能得到控制，终孔对围岩的破坏性小，即使遇到不可预测的高压水及其他危险情况，也能够得到有效控制。

7.0.11 探放水设计对探水钻孔超前距离和止水套管长度要求主要是确保探放水的安全。条文中规定的钻孔超前距离和止水套管长度是基本要求，探放水设计过程中应根据水压等因素合理确定，对水压高及可能导水断层，对钻孔超前距离应根据煤岩层承压强度计算后确定。止水套管长度不仅要满足上述基本要求，还要满足孔口止水安全装置的要求。

7.0.12 为保证探放水工作的安全进行，探放水钻孔应配设孔口安全装置，包括与水压匹配的固定套管、放水控制阀门、压力观测系统等。本条不仅要求设孔口安全装置，并对其功能提出了基本要求。

7.0.13 本条要求的原则就是保证探放水过程中的放水能顺利排出。

8 防隔水煤(岩)柱的留设

8.0.1 本条的要求是受水害威胁的区域必须通过计算留设防隔水煤(岩)柱。

8.0.2 煤层采动"三带"的发育高度与煤层顶板岩性、厚度、煤层产状、开采方法、开采高度和顶板控制方法等存在着密切关系,当同一水体的底界面与各煤层之间的以上所述参数存在较大悬殊时,针对各煤层的安全煤柱在走向与倾向方向的尺寸也会存在较大差异,因此,应在倾斜剖面和走向剖面上分别计算后进行留设。

8.0.3 由于越界开采或邻近煤矿煤柱留设不足,影响另外一个矿井安全的实例较多,两矿均为同一业主的情况尤为突出,因此,本条为强制性条文,必须严格执行。相邻矿井边界必须分别留设煤柱,且每矿应不小于 20m。对于水文地质类型复杂或极复杂的矿井及以断层为界的矿井,其煤柱必须进行计算后留设。

8.0.4 对于有突水历史或带压开采的矿井,分水平或分采区实行隔离开采主要目的是可以分区治理、分区管理,一旦发生透水,可及时封闭水害影响区域,保证相邻区域和矿井其他区域的安全开采。隔离措施目前主要有留设防水煤柱、设防水闸门硐室等方法。同时应编制相应的综合防治水措施。

9 疏干开采和带压开采

9.1 疏 干 开 采

9.1.1 煤层(组)顶板导水裂缝带范围内分布有富水性强的含水层,开采时随着推进度的加快,顶板水很容易快速涌出,甚至存在安全隐患,因此,根据顶板实际情况,进行疏干开采是非常必要的。

导水裂缝带是指开采煤层上方一定范围内的岩层发生垮落和断裂,产生裂缝,且具有导水性的岩层范围,这一层具有成层性、连通性和导水性的特点。本规范附录 A 已列出经验公式计算方法。另外,还可进行现场实测,即在煤矿采空区上方施工钻孔,通过观测钻孔中冲洗液漏失量和钻孔中水位变化来确定垮落带和导水裂缝带高度。此外,在现场运用地球物理勘探方法测定垮落带和导水裂缝带发育高度,最后用钻探实测结果校正,也是常常采用的一种实测方法。设计中可通过计算,结合现场实测情况确定。由于综放开采具有高产高效的优点,因此在我国得到迅速普及。在目前尚未总结出适合综放开采的计算两带高度的经验公式条件下,采用现场实测法是较好的选择。

目前用有限单元法或有限差分法等数值模拟方法,确定导水裂缝带的高度,也有试用推广,如 Flac - 2D、Flac - 3D 和 Ansys - 2D 等,但还需要进一步验证。

经验公式法、现场实测法和数值模拟法这三种方法各有优缺点,有条件的矿井可采用多种方法综合确定。

9.1.2 当本条中所列的 3 种与煤层开采有关的含水层水(体)可以疏干时,在采掘前要进行专门水文地质疏干勘探和试验,编制疏干方案、选定疏干方式和方法,对含水层(体)采取超前疏干措施。对导水裂缝带可能波及的诸如老空水、岩溶水等强富水体,在可疏干的情况下必须彻底疏干,方可开采。

一般疏干开采的步骤如下:首先取得专门水文地质补充勘探资料,疏干勘探是以疏干为目的的补充水文地质勘探,采用物探、化探和钻探等手段,查明疏干含水层的厚度、富水性、渗透性、水文地质边界条件、地下水的补给条件与运动规律、渗流场分布、矿井涌水量,以及疏干工程的出水能力、疏干水量、残余水头、疏干时间等;其目的是进一步查明矿区疏干所需要的水文地质资料,确定疏干的可能性,最后提出专门水文地质补充勘探报告。再编制疏干方案。根据专门水文地质补充勘探报告,确定疏干地段,疏干工程的布置、规模、种类、质量,施工设备、施工工艺及完工时间等,编制疏干方案;疏干方案编制一般应遵循的原则是:与煤矿建井、开采阶段相适应、疏干能力要超过充水含水层的天然补给量、疏干工程应靠近防护地段、尽可能从充水含水层底板地形低洼处开始、疏干钻孔数采用多种方案进行试算、孔间干扰要求达到最大值、水平充水含水层采用环状疏干系统、倾斜含水层采用线状疏干系统。疏干方案的编制是在水文地质勘探基础上进行的,在试验性疏干结束后,应根据实际情况对疏干方案做进一步修订。另外,疏干方案要进行技术经济比较,疏干开采技术难度大,还要考虑经济成本、水资源和生态环境保护等。因此,应针对不同疏干方案进行技术、经济比较后,最终确定疏干开采方案。

9.1.3 在进行矿井防治水设计工作时,应根据疏干方案确定的疏放水量,同时还要考虑其对矿井排水系统的影响,确保矿井疏放水量与矿井排水系统的能力相互匹配,确保矿井能够正常排水。

9.1.4 本条是针对矿井疏干开采设计时的要求。

为了使矿井疏干设计方案更具合理性,目前主要有三图—双预测法、数值模拟等方法,对顶板导水裂缝带发育高度、充水含水层富水性、疏干水量及顶板水害分区等进行定性、定量分析。

9.2 带压开采

9.2.1、9.2.2 该两条规定了不同条件下带压开采设计应遵循的原则、要求和主要方法。

为提高矿井防治水工作的针对性及有效性,目前在进行煤层底板带压开采时,主要有脆弱性指数法、五图—双系数法等方法,对底板突水危险性进行综合分区与评价。

9.3 注浆堵水

9.3.1 本条提出了对井筒进行预注浆的主要适用条件和要求。井筒预注浆是指在井筒施工之前,采用注浆方法,在井筒周围形成封闭的隔水帷幕,将井筒涌水量减少至最低限度,使井筒安全顺利地通过含水层,从而改善井筒施工作业环境,为建井工程安全和快速施工创造良好的条件。一般在厚度较大的裂隙含水层或虽然单层含水层厚度不大但单层涌水量大于 $10m^3/h$ 的含水层,且层数多、层段又较集中的情况下,选择地面预注浆方法比较经济合理。当含水层距地表很深又是单一含水层时,或含水层富水性较弱时,或单层涌水量大于 $10m^3/h$,但含水层层数少、层段分散,选用工作面预注浆方法较为适宜。

井筒预注浆应编制注浆方案,其主要依据是井筒检查孔提供的井筒附近含水层的厚度、层数、水头压力、涌水量等资料。

确定注浆起始深度和终止深度的原则是防止含水层通过裂隙进入未注浆段的井筒施工工作面。

9.3.2 现行国家标准《煤矿井巷工程质量验收规范》GB 50213 对地面预注浆工程、工作面预注浆工程及壁后、壁间注浆工程的掘进漏水量及工程建成后的总漏水量及防水标准在防治水工程章节和附录里都做出了相应的规定。

9.3.3 注浆封堵突水点具有减轻矿井排水负担、恢复被淹矿井、保护地下水资源、改善井下劳动条件的作用,是煤矿防治水的重要技术方法之一。为了正确选择注浆堵水方案,判断突水水源、分析突水点位置是首先需要开展的工作。一般确定突水水源采用水化学、水位动态变化分析和连通(示踪)试验等方法。为了确保注浆钻孔能够命中关键部位,分析突水点位置显得尤为重要。通常采用直流电法、瞬变电磁法、三维地震等物探方法,结合定向钻进技术,进行定点探查、验证。

9.3.4 帷幕注浆截流技术,是指沿地下水集中补给通道断面布置注浆钻孔,建造帷幕状人工阻水体截断地下水流的一种治水方法。帷幕截流构筑的基本条件:一是过水断面狭窄;二是具有不透水边界;三是受注层具有良好的可灌注性;四是帷幕截流工程实施后具有明显的经济和社会效益。由于帷幕截流具有工程量大、工期长、造价高等特点,应该结合构筑帷幕的基本条件及矿井水文地质条件进行可行性论证。

9.3.5 为了减少井巷工程施工后的涌水量,给掘进作业创造良好的工作环境,对于已经穿越含水层的井巷,淋水较大时,应当进行壁后注浆,一般会收到良好的效果。

9.3.6 注浆加固、注浆改造和留设防隔水煤(岩)柱是采掘工作面主要的防治水方法,防隔水煤(岩)柱留设与注浆加固、注浆改造往往配合使用,对于具有一定规模的充、导水断层或陷落柱,通过计算留设一定宽度的防隔水煤(岩)柱通常是经济、合理的。对于小型断层、裂隙带等异常含(导)水体通过局部注浆加固消除突水隐患,不仅能够保证正常回采,而且可以增加工作面资源回收量和节省回收时间。但是,对于大型断层和陷落柱往往需要留设几十甚至上百米的防水煤柱,使大量的煤炭资源成为受水威胁的呆滞资源,为了解放这部分煤炭资源,通过注浆方法切断其与富水性强的含水层或水体的水力联系,则能达到提高煤炭资源回采率的目的,尤其对于面临资源枯竭的老矿井较为适用。注浆改造作为改变岩体(层)水文地质条件的方法与手段,其基本原理是:浆液在一定压力、一定时间内,受注层原来被水占据的空隙或通道内脱水、固结或胶凝,使结石体或胶凝体与围岩岩体形成阻水整体,将富水性强的含水层与煤层之间的薄含水层(一般小于10m)改造成隔水层或相对隔水层,从而增加煤层底板隔水层厚度提高其阻水抗压能力。

无论选择留设防隔水煤(岩)柱或注浆加固、注浆改造等方法中的哪一种,或其中多种方法的结合,在技术可行、经济合理、安全可靠的前提下,应该进行技术经济比较后确定。

9.3.7 无论采用哪一种注浆方法,均需要通过物探、钻探相互配合,以钻探为主查明采掘工作面水文地质条件为前提,并验证注浆效果。由于物探存在专家解释的主观性和对水文地质条件认识不足的客观性等因素影响,因此,以钻探验证来提高安全性是必要的。

9.3.8 注浆堵水系统的建设与矿井的分期应一致。

9.3.9 本条是关于选择注浆堵水系统及其能力的原则和要求。矿井的注浆量设计指标取决于矿井开拓布置、受水害威胁程度以及同时需要注浆的钻孔数量。一般情况下,当矿井水文地质条件复杂,构造发育,充水水源以动储量为主,水量充沛,导水通道分布广泛的情况下,选择地面固定式注浆堵水系统比较经济合理。当矿井水文地质条件简单,构造不甚发育,充水水源以静储量为主,导水通道分布有限的情况下,选用井下移动式注浆堵水系统较为适宜。当影响矿井注浆堵水系统的关键因素存在一定差异时,在设计过程中应通过技术经济比较后,选择适合矿井条件的注浆堵水系统。

矿井堵水注浆量是影响注浆堵水系统选择的重要因素。地面固定式注浆站,造浆方便,注浆系统连续性好,适用于较大流量的注浆。当矿井堵水注浆量较大时,需要大量的注浆浆液,地面配置相对容易,还可以通过管路输送,因此,采用地面固定式注浆系统较为合理。当矿井堵水注浆量较小且注浆点分布范围广,可选用井下移动式注浆堵水系统。

地面注浆站选址应满足井下注浆能力、注浆压力和浆液输送能力等要求。根据调查,注浆管路的合理长度一般在 1000m～4000m 较为理想,管路过长会增加管路系统的输浆阻力,容易造成管路堵塞事故。因此,当注浆管路长度超过 4000m 时,宜分区建站,以满足矿井多个采区注浆需要,通常较大矿井按区域建设两个或三个地面注浆站来解决井田多区域注浆的问题。

9.3.10 注浆材料的品种很多,一般根据注浆效果和使用要求,可选用纯水泥浆、纯黏土浆、黏土水泥浆和粉煤灰水泥浆等组合材料,但必须满足环境保护、注浆效果及施工等要求。

预注浆、衬砌前堵水注浆,注浆情况比较复杂,裂隙孔隙有大有小,裂隙宽度大于 0.2mm 的岩层或砂子平均粒径大于 1.0mm 的粗砂地层可采用水泥浆、水泥-水玻璃浆;裂隙宽度小于 0.2mm 的岩层或平均粒径小于 1.0mm 的中细砂层,且堵水要求较高,可采用超细水泥浆,超细水泥-水玻璃浆,特殊情况下可采用化学浆液。也可将水泥浆和化学浆配合使用。根据调查和众多的地面注浆工程证实,对于裂隙性注浆,只有当注浆材料的粒度是裂隙宽度的 1/4 以下时才能被挤入。黏土浆液中黏土胶体颗粒粒径在 5μm 以下,而黏土浆液中的含有较多的砂粒,砂粒粒径在 0.2mm～1.5mm 之间,1mm 的砂粒堆积后就会很快堵塞 3mm 以下的裂隙,形成孔塞。因此黏土浆液除砂效果是影响注浆效果的关键一环,黏土精细浆液制浆系统可以很好地解决黏土除砂问题。

水泥颗粒粒径在 30μm～50μm 之间,正常情况下,这个粒度对于宽度 200μm 以下裂隙注浆时可以注进去的。但是不同的制浆方法,对注浆效果有很大的影响。如果是射流法制浆,浆液中水包灰或灰包水的这种灰包含量很多,灰包极易堵塞裂隙,如果是 1mm 的灰包就会因颗粒堆积很快堵塞 3mm 以下的裂隙,形成水泥塞,严重影响注浆量和注浆改造效果。而高速制浆是指制浆设备采用涡流原理,液流速度高,冲击大,水流回转速度 1000 转/min 以上,并且水流多次经过了高速叶片,在高速叶片及强涡流的共同作用下,水泥被充分分散,并降低其表面活性,防止其重新凝聚,高速制浆技术制取的浆液材料分散均匀,无灰包,浆液流动性好,进浆量大,注浆效果好。高速制浆的核心设备是高速制浆机。

选用黏土精细制浆和高速涡流制浆站制取的浆液细腻、流动性好、质量高,对含水层改造充填的效果好,能确保大流量制浆和大流量注浆,是提高注浆改造工程质量的基础。

防水混凝土衬砌一般孔隙小、裂缝细微,普通水泥浆颗粒大,难以注入,必须选用特种水泥浆或化学浆。

特种水泥浆是除普通水泥浆之外的其他水泥浆,如超细水泥浆,自流平水泥浆、硫铝酸盐水泥浆等。

在注浆材料选择过程中,除要考虑浆液的注浆效果外,还需要对浆液的配制及施工难易程度,浆液本身对环境的影响程度进行评价,优先选用注浆效果好,施工便利,环境影响小的注浆材料。

9.3.11 根据现场调查,注浆终孔压力一般为水压的 1.5 倍~3 倍,故要求注浆终孔压力高于水压的 1.5 倍,且不引起围岩破裂、变形。设计最好要求注浆施工过程中逐步加压,以观察注浆效果,不应一次将注浆压力升高到设计注浆压力。

9.3.12 矿井注浆堵水系统一般由注浆管路系统、注浆泵、制浆设备和注浆站等组成,根据矿井注浆堵水需要,注浆堵水系统类型有井筒井巷预注浆、工作面底板含水层裂隙、溶隙的注浆加固和充填改造注浆、突出点封堵注浆、帷幕注浆、陷落柱、采空区或其他较为开放的空间注浆等几种类型,各种注浆堵水系统要求的注浆量、注浆压力不同,几种注浆堵水类型有可能同时并存;另一方面堵水材料类别有注黏土浆、水泥浆、水泥和黏土或其他材料混合浆等,这样要求选用各自相应注浆系统设备。

矿井生产能力与注浆堵水系统的制浆量、注浆泵的数量、单台注浆泵的压注能力、输浆管路的趟数和管路的输送能力之间存在科学、合理的匹配和平衡关系。其中制浆能力、输浆管路趟数的多少、管径的合理性是注浆系统的关键环节,它如同矿井采煤量提高后运输提升能力不足时的情况相似,必须高度重视。

注浆泵的选择应根据注浆量、输浆管路趟数、输浆管路系统阻力及注浆钻孔终孔压力要求计算确定。注浆泵应与注浆管路匹配,宜采用 1 泵 1 管,注浆泵宜选用耐磨性能好、压力高的柱塞式泥浆注浆泵,可分多档调节泵的流量和压力,泵的最高工作压力可满足高压注浆条件并留有足够的裕量。

选择单台注浆泵的流量主要取决于受注对象,如果是底板改造或注浆堵水则需要加压注浆,流量 $15m^3/h$,5 个档位注浆泵较好,矿井可配 1 套或几套高速制浆系统＋1 台或几台流量 $15m^3/h$ 注浆泵的组合。如果是对溶洞、陷落柱或采空区的充填式注浆,$30m^3/h$ 大流量注浆泵比较好用,一般情况下选择 1 套高速制浆系统＋1 台流量 $30m^3/h$ 注浆泵的组合比较理想。在相同的体积灌注时,大流量注浆泵可以显著缩短注浆时间,对陷落柱多的矿井尤其需要大流量注浆泵。

注浆泵按其结构分为柱塞式和活塞式 2 类,柱塞类似于液压支柱的内柱,活塞类似于打气筒内的皮塞。柱塞泵耐磨性能好,高压力状态工作稳定,更适合磨蚀性强的水泥、粉煤灰等混合料浆的输送。与柱塞比较,活塞泵适合于输送低密度的润滑性能好的浆液,如泥浆、钻探冲洗液、水煤浆等。如果用活塞泵输送磨蚀性强的水泥、粉煤灰浆液,活塞磨蚀较快,维修工作量较大。

9.3.13 考虑到井下移动式注浆站,一般配有防爆注浆泵、油压系统等电气设备,要求通风良好;另一方面又要求管路系统阻力小,运送注浆材料方便,故井下移动式注浆站应设置在注浆地点附近的全风压通风新鲜风流中,并应满足注浆设备运输、安装及检修的要求。

9.3.14 本条对注浆堵水管路系统设计提出了相关要求。设计应根据矿井开拓、开采部署、注浆地点分布、注浆站位置等综合考虑注浆管路的路经走向,避免和减小中凹布置,尽量使管路布置合理,在管路最低点设置排空阀,当注浆管路距离较长时,经方案比较可采用钻孔固管下井以减小管路长度,从而减小管路系统的输浆阻力;另一方面又要求设计管道内浆液的流速大于临界流速,以免造成管路堵塞事故。

一般情况下,矿井内同时注浆的各个注浆地点,宜分别设置注浆管路,一个注浆点的注浆量取决于注浆钻孔的吸浆量。因此,单趟注浆管路的直径应根据注浆钻孔在受注层的孔径大小和受注层的裂隙发育情况(吸浆量),按照浆液流速大于临界流速计算确定;用于底板含水层裂隙、溶隙的注浆加固和充填改造注浆的管路直径可根据单个钻孔吸浆量、按浆液流速大于临界流速计算选取。

对于加压注浆的管路直径的选择,其管路流量取决于受注对象或受注层的裂隙、溶隙、溶洞发育情况和注浆钻孔在注浆段的净直径。据调查,1985 年开始煤矿底板注浆改造,目前煤矿已施工的加压注浆钻孔在受注层的直径一般在 50mm~73mm,最大的也没有超过 80mm,注浆钻孔在单位时间的吸浆量一般在 $9m^3/h$~$15m^3/h$。如果钻孔直径加大可以增加注浆流量,但直径过大的钻孔,则其施工工期长、设备能力及施工成本均要增加,其合理性、可行性、安全性需要进一步研究证实。

对于大流量注浆,能满足向陷落柱内注浆,又能满足向采空区或其他较为开放的空间注浆,注浆管路的选型可以考虑按 $30m^3/h$~$50m^3/h$ 的流量选择管路直径。结合目前的设备制造水平和矿井的实际应用及施工能力,陷落柱注浆选择 DN100 的管路即可,当管径大于 DN100 时,可选用多趟管路。

注浆管路趟数的选择应根据矿井水文地质条件和注浆堵水同时需要注浆的钻孔数量确定,并留 1 趟~2 趟备用管路。

矿井需要铺设几趟管路才能满足注浆工程的需要,这取决于同时注浆的钻孔数量。建设初期必须考虑周全,并留有扩展的空间。

10 防水闸门与防水闸墙设施

10.1 防 水 闸 门

10.1.1 由于条文中列出的四种情况的水害威胁程度均较大,如不设置防水闸门可能威胁到作业人员的安全和矿井的安全,因此,本条作为强条,必须严格执行。设置防水闸门硐室的目的就是控制灾害的扩大和影响范围。

10.1.2 本条对防水闸门及硐室布置与保护矿井排水系统功能及防水闸墙等防水设施布置提出了总体要求。

10.1.3 防水闸门及硐室所承受的最大水压值,对该设施在关键时候能否发挥有效作用,并对投资产生较大的影响,因此,设计时需根据相关条件科学确定。

矿井防治水设计阶段选用的防水闸门与防水闸墙硐室应与矿井井巷所承受的水头压力相一致。最大水压值的确定方法,应根据矿井的水文地质资料,结合矿井的具体条件分别考虑,一般按下列条件确定:对水文地质条件复杂又未疏干降压的新井,可采用主要含水层最大静水位与开采水平的高差,作为最大水压;经疏干降压的矿井,主要含水层静止水位与开采水平的高差作为最大水压;矿井延深水平的防水闸门和防水闸墙硐室所承受的最大水压,当保持原水平的排水能力时,可考虑取原有水平与延深水平间的标高差为最大水压,并应留有一定的余地;有水力联系的矿井群,井群综合涌水量与综合排水能力保持相对平衡。在设计井群中某一矿井的防水闸门和防水闸墙硐室时,应考虑不存在井群同时淹井的可能。当某矿井排水设备受水害影响停排时,相邻矿井仍继续排水,根据当时综合排水能力,该矿井的水位会稳定在一定高度,其水位可通过水文计算求得。该稳定水位与开采水平的高差即作为最大水压值;少数矿井的浅层含水丰富,建井时,常用浅部截水措施。当建井期内在回风水平或浅部某水平有强大排水设施时,亦可考虑以该水平标高与开采水平高差作为最大水压值。

　　在设计阶段,综合考虑防水闸门和防水闸墙硐室所受的最大水压值时,还应结合井巷防水条件进行考虑,其中包括防水闸门和防水闸墙硐室所处位置的岩石物理力学性质,如岩性、抗压强度、节理裂隙发育情况等;硐室围岩水文地质条件,如围岩有无渗漏现象、通过防水闸门和防水闸墙硐室的水质及正常涌水量等。

10.1.4 本条主要是对防水闸门选型的尺寸要求。

10.1.5 随着防水闸门开启和关闭控制系统由人工操作向远程控制操作的发展,防水闸门硐室配备了各种机械设备、电控设备、监控设备等,采用的设备、材料等设施均应符合国家现行有关标准的规定。

10.2　防　水　闸　墙

10.2.1 设计预先留设防水闸墙的位置,主要目的是为留设防水煤柱做准备,防止回采过程中可能受到采动影响增加防水闸墙建筑难度,使得防水闸墙和煤柱有整体防护的能力。

10.2.2 本条是防止钻孔穿透富水性强的含水层和老空积水,引发透水事故而采取的必要防护措施。

10.2.3 为保证防水闸墙周边基础能够满足设计的强度,并防止积水通过围岩裂隙渗漏,因此,要求水闸墙嵌入围岩中,与围岩形成一个整体。

10.3　防水闸门与防水闸墙硐室

10.3.1、10.3.2 防水闸门硐室选址不仅要考虑符合保护矿井排水系统功能的要求,还要考虑该硐室本身处在不易受各类地质条件影响的区域。

10.3.3 防水闸门关闭时,门体与门框、管线孔洞、门周边各部位都应有防渗漏技术措施,另外,防水闸门硐室的混凝土浇筑量较大,易产生裂隙,设计也要考虑防渗漏技术措施。

10.3.4 矿井防水闸门硐室泄水方式与矿井涌水量之间的关系较大。

1 当矿井涌水量不大时,一般采用水管泄水方式。水管泄水方式是在硐室的侧下方,埋设1趟～2趟高压钢管,并在出水口处装设高压闸阀控制放水量。

放水管管径应根据放水管的最大流量确定,可通过查表或按闸门开启时管路计算的排水能力公式计算(参见采矿设计手册)。计算求得的管径对于低水压一般不大于500mm;对于中、高水压一般不大于400mm。如计算的管径大于400mm时,可按两趟管路重新计算。

2 当矿井涌水量大,放水管闸阀流量受到限制,不能满足放水要求时,可采用水沟泄水方式。在放水闸门硐室处按正常巷道水沟规格设置水沟,并在入口处加设水沟闸门。水沟闸门的结构有平板型和薄壳型两种,常用薄壳型。

采用水沟泄水方式,还要另设专门的泄水管和高压闸阀,作为打开水沟闸门前泄水之用。

当矿井发生水患关闭水沟闸门后,虽经专门泄水管泄水降压,要打开水沟闸门也比较困难,因此一般情况下,不常用这种方式。

3 为解决涌水量大的矿井防水闸门硐室的泄水能力,可在防水闸门硐室附近另开一条泄水巷,在泄水巷内,修筑一道水闸墙,安设几趟大直径放水钢管。

10.3.5 为防止矿井突水时,突水中夹杂的杂物阻塞防水闸门的关闭和开启,同时也防止杂物对门体的冲击破坏。因此,规定防水闸门来水侧15m～25m处应设算子门。采用双向防水闸门时,在两侧应分别设算子门。

10.3.6 为保证矿井突水时能及时拆除妨碍防水闸门关闭的轨道、电机车架空线、带式输送机等设施,所以,要求通过防水闸门的轨道、电机车架空线、带式输送机等灵活、易拆。

10.3.7 本条规定了通过防水闸门硐室的预埋件要求,通过防水闸门墙体的泄水管、压风管、洒水管等各种管路应在防水闸门外设置与防水闸门压力等级相应的管路和闸阀,或在来水侧设置与防水闸门压力等级相应的盲盖或堵头封堵严密。

通过防水闸门硐室的预埋管路在防水闸门关闭承压的情况下,其承压与防水闸门相同,为了保证预埋管路不滑动,应采取防止管路滑动、位移措施。通过硐室的电缆,一般为穿钢管敷设,钢管两端应封堵严实,耐压能力不低于防水闸门压力等级。为保证防水闸门的安装和矿井的正常生产,硐室预埋件较多,所有预埋件不能影响闸门硐室的有效使用,确保各附件与闸门及其硐室的强度。

10.3.8~10.3.10 这三条主要是对防水闸门和防水闸墙硐室支护的要求。

10.3.11 硐室围岩采取加固措施目的是为了保证硐室的整体安全性,使其围岩抗压强度不低于防水闸墙硐室强度。

10.3.12 对防水闸门硐室和两端砌筑的护碹预留注浆管进行注浆加固,就是为了提高硐室和护碹耐压强度和抗渗漏的概率,注浆压力按本规范第9.3.11条的要求选取。

10.3.13 本条是防水闸门与防水闸墙硐室墙体结构形式选择要求。

10.3.14、10.3.15 防水闸门硐室周边留设隔离煤(岩)柱,对防水闸门硐室和防水闸墙的长度和基础深度进行计算,主要是为了提高硐室的抗压强度和抗剪强度,并防止承压水的渗漏。

10.3.16 预留完全开启的空间是为了防止门体和硐室壁遭到破坏。

10.3.17 防水闸门设置水压观测装置、放水管和放水闸阀主要为了封闭涌水的排放和顺利救灾。

10.3.18 电气设备硐室就近布置在防水闸门非来水侧,并对其底板高程进行要求是为了防止电气设备遭受水淹破坏。一般电气设备硐室较大,对防水闸门硐室强度的影响较大,因此,其选址应避开其影响范围。

11　排水系统设计

11.1　一　般　规　定

11.1.1　本条是矿井正常排水系统设计的最基本要求。矿井设立正常排水系统是为了保证煤矿安全生产，因此，必须强制执行。

　　矿井正常排水系统设计主要依据是正常涌水量和最大涌水量及排水高程等，排水系统包括水仓、泵房、水泵、排水管路、配套的供配电及控制系统等设施要相互匹配，确保系统在规定的时间内能够将矿井正常涌水量和最大涌水量全部排出。

11.1.2　本条是关于水文地质条件复杂、极复杂矿井设计防水闸门或安装抗灾排水系统的设计要求。

　　根据《煤矿安全规程》和《煤矿防治水规定》的有关规定，水文地质条件复杂或有突水淹井危险的矿井，应当在井底车场周围设置防水闸门或在正常排水系统基础上另外安设具有独立供电系统且排水能力不小于最大涌水量的潜水泵。故此本条做出"水文地质条件复杂、极复杂或有突水危险的矿井，在井底车场周围未设置防水闸门时，应在正常排水系统的基础上增设抗灾排水系统"的规定。本条文是为了保证矿井安全生产，最大程度保证矿工生命安全，降低矿井财产损失，因此，必须强制执行。

　　根据调查和多年实践证明，设置防水闸门确实能够起到分区隔离、保护矿井正常排水系统运行、控制灾害的扩大和影响范围、减少矿井水灾损失的作用，如河南焦煤集团公司通过关闭防水闸门，防止了矿井淹没。随着矿井机械化程度的提高，防水闸门在实际设计过程中，也存在很多问题，高压、大断面防水闸门硐室设计强度要求高，尤其承压超过 6.4MPa 以上的硐室设计尚不成熟，工程实施也有一定难度，也存在设计、试验强度是否与矿井实际水压相匹配、耐水密封、承压等检测、试验等困难；对于大型矿井和辅助运输采用无轨胶轮车的巷道断面较大的矿井，或地质条件较差，支护较困难的矿井，防水闸门硐室的建设、试验也均存在较大困难，另外，选择关闭时机要考虑井下封闭区域的人员安全撤出等诸多因素，而关闭水闸门时过水量大、水中杂物多等，人工关闭、关严存在一定难度。

随着现代科学技术的发展，高扬程、大排量潜水电泵的技术已基本成熟，已在多个煤矿得到应用，其使用效果较好，其优点是能在地面进行供电控制，水泵不受水害影响仍能正常工作，利于抢险救灾，对矿井抗灾起到了积极作用。因此，设置潜水电泵系统代替防水闸门成为设计可选方案之一。

考虑矿井发生水害时，立即启动抗灾排水系统和矿井正常排水系统所有水泵，降低井下水仓水位上升速度，最大限度地发挥矿井正常排水系统的排水能力，一方面可以为井下人员的逃生提供更充裕的时间，为井下人员多提供一重生命和安全保障，另一方面，在来水不超过两倍的矿井设计最大涌水量时，正常排水系统和抗灾排水系统总能力可以抵御灾害，保证矿井不被淹没。如管路系统为共用，则会出现抗灾水泵与主排水泵的多泵并联运行，在排水管路趟数和规格已确定的情况下，虽排水总量可以加大，但排水流量的增加值会随着并联水泵台数的增加而递减，排量增加甚微，不能充分发挥排水设备的能力。因此，管路系统共用会在一定程度上阻碍正常排水系统和抗灾排式系统的总排水能力，对于减灾、抗灾不利，故本条款要求在矿井正常排水系统基础上设置抗灾潜水电泵排水系统，该系统包括潜水电泵、排水管路、电气设施、辅助设施、设备硐室和水仓等，可以保证在矿井正常排水系统尚能工作时，两套排水系统均能发挥其最大排水能力，为井下人员的顺利升井争取更多的时间，最大限度地保障人员的安全和减小灾害程度。

11.1.3 依据矿用产品安全标志管理的有关规定，对于纳入煤矿矿用产品安全标志的矿井排水设备必须选用取得煤矿矿用产品安全标志的产品,防止无安全标志产品和不合格产品进入矿山井下使用,以保证矿井安全生产。因此,必须强制执行。

11.1.4 《煤矿井下排水泵站及排水管路设计规范》是目前煤炭矿井正常排水系统设计的主要规范,因此,应遵照执行。

11.1.5 本条是根据《煤矿安全规程》的有关规定而制定的,是对抗灾排水系统设计能力的规定,即抗灾排水系统的排水能力应不小于矿井最大涌水量。

11.1.6 采用下山开采时,一般都在下山采区内设有正常排水系统,水文地质条件复杂、极复杂或有突水危险的矿井,要求设置抗灾排水系统或采取其他防治水措施,以防止涌水突然增大破坏正常排水系统和淹井事故的发生。开采其他有突水危险的采掘区域的,按《煤矿安全规程》的有关规定执行。

11.1.7 对于多水平或多采区开采的水文地质条件复杂、极复杂或有突水危险的矿井,对于抗灾排水系统,原则上应采用一级排水直接将矿井水排至地面,必要时,可采用钻孔排水;如受技术、装备或其他因素制约,采用直排确有困难时,在保证安全的前提下,经技术经济比较后,可采用接力排水。

11.2 矿井正常排水系统

11.2.1 本条是矿井正常排水系统泵站设备的选型原则,由于吸入式矿用多级离心水泵具有结构简单、维护方便、造价低等优点,因此水文地质条件简单、中等的矿井优先选用吸入式矿用多级离心水泵。

对水文地质条件复杂或极复杂、涌水量大、有突水危险的矿井的正常排水系统设备的选择可根据排水设备的发展状况,宜优先选用矿用潜水泵,经技术经济比较,亦可选用矿用潜水泵和矿用多级离心式水泵相结合或选用矿用多级离心式水泵的排水设备选型方案。

11.2.2 本条是根据现行《煤矿安全规程》的规定,对矿井正常排水系统设置的工作水泵、备用水泵和检修水泵的数量和排水能力的要求。矿井设立正常排水系统是为了保证煤矿安全生产,若不对排水设备的排水能力进行规定,就不能保证矿井正常生产的安全,矿工的生命和矿井的财产安全就得不到保障,因此,必须强制执行。

11.2.3 本条是根据现行《煤矿安全规程》的规定,对矿井正常排水系统设置的工作管路、备用和检修管路的趟数和排水能力的要求。矿井设立正常排水系统是为了保证煤矿安全生产,排水管路是矿井系统不可缺少的部分,若不对排水管路的排水能力进行规定,就不能保证矿井正常生产的安全,矿工的生命和矿井的财产安全就得不到保障,因此,必须强制执行。

11.2.4 本条是对矿井正常排水系统主排水泵站的布置要求。为便于矿井集中管理,维护检修,缩短供电距离和管路长度,设计过程中,主排水泵站宜与主变电所联合布置,并宜靠近敷设排水管路的井筒。

主排水泵站是矿井的心脏,特别是在发生水灾、火灾后,设置易于关闭的既能防水又能防火的密闭门和两个以上安全出口,利于灾变时保护主排水泵站正常运转的和人员及时撤离。

主排水泵站通道断面、密闭门、栅栏门设计应满足通过最大设备、行人、通风等基本要求。另外,对排水泵房硐室高程的要求,主要考虑水沟排水不畅时,可防止通过巷道的流水进入泵房和变电所。

11.2.5 本条提出了对矿井正常排水系统主排水泵站尺寸与电缆敷设应遵循的规程规范和相关要求。

11.2.6、11.2.7 这两条是对矿井主排水泵站内布置及设备运输和吸水井、配水巷断面和支护等的基本要求。

11.2.8、11.2.9 本条是对管子道及其设施的设计要求。当管子道作为主排水泵站安全出口时,管子道必须有通往井筒的通道;通向立井的管子道应设与井筒梯子间的连接通道,当立井井筒装备有梯子间和提升容器时,通向立井的管子道应设与井筒梯子间和提升容器的连接通道。

11.2.10 本条是对水仓布置的设计要求。水仓是矿井涌水的贮水通道,为保证煤矿采掘过程中所揭露的水体能够顺利汇入水仓,设计过程中应根据线路流水坡度,将水仓设计在井底车场、大巷最低点或靠近最低点的位置。同时,为保证水仓的稳定,防止使用过程出现渗漏现象,水仓位置应布置在稳定基岩段,应避开松软、破碎的岩层和断层带。矿井水一般含尘、砂较多,虽经沉淀池初步沉淀,但水仓大量盛水时,还能起沉淀作用,因此,为保证水仓在清理时矿井水体能够正常进行储存,需设计两条水仓,其中一条为主仓,一条为副仓,可以在清理时,通过水流控制系统进行交替使用。

11.2.11 本条是对水仓容量的设计要求。新建、改扩建矿井或者生产矿井的新水平,正常涌水量在 $1000m^3/h$ 以下时,主要水仓的有效容量要能容纳 8h 的正常涌水量。

 1 正常涌水量大于 $1000m^3/h$ 的矿井,主要水仓有效容量按照下式计算:

$$V = 2(Q + 3000) \tag{1}$$

式中:V——主要水仓的有效容量(m^3);

  Q——矿井每小时的正常涌水量(m^3)。

采区水仓的有效容量应当能容纳 4h 的采区正常涌水量。

 2 水仓由于坡度等因素的影响,将形成一部分无法充水的无效容积范围,无效容积可按下式计算:

$$V_2 = 0.5L^2 iB \tag{2}$$

式中:V_2——主要水仓的无效容量(m^3);

  L——水仓总长度(m);

  i——水仓坡度(‰);

  B——水仓断面净宽度(m)。

从上式可以看出,水仓的无效容积与水仓的长度成平方次关系,为提高水仓的利用率,减小水仓无效容积,设计中应尽量压缩水仓入口与吸水井之间的贯通长度,即水仓的长度。

3 为确保水仓在存满水时,水仓内的水体无法倒流至井底车场或大巷,同时,保证最高存水面无法通过配水井或吸水井或预埋排水管进入主排水泵站电缆沟,设计要求水仓最高存水面应低于水仓入口水沟底面和主排水泵站电缆沟底面。

11.3 抗灾排水系统

11.3.1 由于排水管路会随着使用而产生结垢或淤积,从而影响抗灾排水系统的排水能力,因此规定"矿井抗灾排水系统的排水能力,应按照管路淤积后排水系统潜水泵的工况流量进行计算"。

因矿井抗灾排水系统的特殊性,及排水系统抗灾排水时工况的复杂性和不确定性因素,为保证其发挥作用,必须保证其在全扬程安全运行,以充分保证矿井的安全。

11.3.2 一般潜水电泵的质量都比较大,为了便于潜水电泵的安装和检修,因此,规定潜水泵房内应设置起重、提升等设施。

11.3.3 潜水泵的布置形式有多种,根据其用途和实际的使用情况,在用于矿井抗灾排水系统时,采用卧式布置较容易实现,其安装、检修和维护最为方便。

有些矿井也有采用立式布置的方式,考虑到大流量高扬程潜水电泵的泵体通常较长,立式布置所需泵井较深,其硐室施工难度较大,设备的安装、检修和维护所需辅助工作较为繁复,故规范规定如条件允许,可作为设计选择。

倾斜布置的方式,较多用于追水排水,故此在作为矿井抗灾排水系统时,规范规定如条件允许时,也可作为潜水泵设备布置设计的一种选择。

11.3.5 潜水泵吸水口中心线至吸水井墙壁的间距,考虑其吸水性能,经调查讨论,可按水泵吸水口的直径的 0.8 倍～1.0 倍设计,考虑设备的检修维护方便,故要求其净间距不应小于 800mm。

11.3.6 潜水泵可多泵布置于同一吸水井内,水泵吸水口中心线至吸水井墙壁的间距,考虑其吸水性能,按水泵吸水口的直径的0.8倍~1.0倍设计,两台潜水泵吸水口间的净间距不应小于1.5倍吸水口的直径。设备在布置时,应考虑前后(立式布置时为上下)交错布置,以节省硐室(泵井)断面。

11.3.8　本条文在于保证抗灾潜水泵排水系统处于良好状态,保证系统能够在矿井发生水害时及时启动,并发挥其全部能力,因此,潜水电泵应定期进行测试。

11.3.10　一般设置抗灾排水系统的矿井,其水仓的有效容积都比较大,因此抗灾排水系统水仓宜与正常排水系统水仓共用,在不影响矿井正常排水系统的情况下,可节约矿井投资。当抗灾排水系统设置独立水仓时,考虑到保证抗灾潜水泵排水系统应处于良好状态,保证系统能够在矿井发生水害时及时启动,水仓容积应满足潜水电泵的定期测试的需求。

11.3.11　考虑矿井发生水害时,水中杂质、漂浮物等会随水流冲向抗灾排水系统水仓,故设置沉淀池和全断面格栅加以拦截,以保证抗灾排水系统能稳定地发挥其作用。

11.3.12　根据国家煤矿安全监察局《关于煤矿抗灾潜水泵排水系统设置问题的复函》精神,为了保证抗灾排水系统在发生水灾时能发挥应有的作用,保护人民生命财产安全,代替防水闸门的"潜水电泵"必须设置独立的排水管路。抗灾排水管路的排水能力应与抗灾潜水泵的排水能力相匹配。因此,本条必须强制执行。

11.3.13　设置逆止阀为确保抗灾排水系统的安全,减小水锤对潜水泵设备的危害;设置放空管是为了方便对设备和管路进行检修和维护。

12 供配电与控制

12.0.1　现行《煤矿安全规程》第 442 条对主排水泵站、下山采区排水泵站供电电源有明确规定,《煤矿安全规程》第 273 条要求抗灾潜水泵站具有独立供电系统。为保证矿井井下主排水泵站、下山采区排水泵站和抗灾潜水泵站的正常运行,保障煤矿安全生产和矿工生命安全,本条文进一步明确了其供电电源的要求。因此,必须强制执行。

12.0.2　根据现行国家标准《煤炭工业矿井设计规范》GB 50215 的有关规定,对不兼作矿井主排水或下山采区排水的井下煤水泵、井底水窝水泵的供电电源进行了规定。

12.0.3　根据现行《煤矿安全规程》的有关规定,对煤矿井下排水系统的配电设备的能力提出了具体要求。本条为强制性条文,必须严格执行。

12.0.4　矿井排水系统的供电及控制设备的安装地点,直接影响矿井排水设备在灾变情况下能否继续运行,因此,本条对矿井排水系统的供电及控制设备的安装地点提出了相关要求,以最大程度地保证排水系统供电的可靠性。

12.0.5　本条文是根据《煤矿安全规程》的有关规定编写。

12.0.6　根据电动机产品和井下低压供电电压 660V/1140V 情况,容量 630kW 以下时,电动机电压等级应进行技术经济比较后确定。

12.0.7　本条文是根据《煤矿安全规程》的有关规定编写,用于潜水泵的电缆还应具有防水、耐压性能,以防在突水和淹没时潜水泵的电源中断,影响抗灾排水,危及井下矿工生命安全。因此,必须强制执行。

12.0.8 根据现行国家标准《煤炭工业矿井设计规范》GB 50215 的有关规定,主排水泵站、下山采区排水泵站和抗灾潜水泵站必须 设置直通电话,便于发生水灾时调度指挥,充分发挥排水系统抗灾 功能,保证矿井安全。因此,本条必须强制执行。

12.0.11 矿井正常排水系统实现自动化监控,能减人增效并提高 系统运行的安全可靠性,应予推广。

12.0.12 抗灾潜水泵应采取地面集中控制,保证抗灾排水系统的 可靠性。

12.0.15 防水闸门是用于防止井下透水威胁矿井安全而设置的 一种特殊闸门,一般设在可能发生透水的井下巷道中,平时正常生 产期间防水闸门是敞开的,一旦突然发生透水,将关闭防水闸门, 将水流阻挡在防水闸门来水侧。如将防水闸门的供电系统引自防 水闸门来水侧,发生透水时,防水闸门来水侧将首先被淹没,造成 防水闸门中断供电,影响防水闸门使用,使水害波及范围扩大,可 能造成矿井或采掘区域淹没。因此必须保证防水闸门具有独立的 供电系统。供电电源应稳定可靠,其供电电源线路引自非来水侧, 避免水流造成电源中断。本条涉及矿工人身安全,必须强制执行。

12.0.16～12.0.19 根据现行《煤矿安全规程》的有关规定,必须 保证防水闸门的安全可靠性。

13   地面防治水

13.0.1   本条强调的是地面防治水设计要考虑的因素,并根据这些因素进行地面防治水方案设计。

13.0.3   在工业场地上方山坡上设置截水沟,是为了防止山洪进入场内危害矿井安全,也避免上游水侵蚀和冲刷边坡,影响边坡稳定,造成次生灾害。

13.0.4   本条对场地平整坡度规定的数据,是根据国家的有关规定并参照各部门规范有关数据制定的。

13.0.5   内涝或洼地积水浸入井下,危及井下人员生命安全,给井下工程设施造成巨大损失,且恢复生产时所需时间较长,故应高度重视井口及地面设施的防排水问题,采取拦截疏导、压实防渗、填矸造田或设泵站排出等消除矿井水害措施,保证地面排水不侵入井下,确保井下人员及工程的安全。地面防治水措施要当地农田水利和环境保护规划统一考虑,必要时还可以纳入以上规划。

13.0.6   随着我国矿井现代化的进程,对工业场地的绿化、美化及环保要求也不断提高,场内道路较广泛地按城市型道路设计,随之也要求场地内排水系统采用管道或明沟加盖板为主的形式。特别是大、中型矿井,工业场地面积大,地形较平坦,从经济上分析,采用明沟排水系统也是不经济的。

13.0.7   矸石、炉灰、垃圾等堆放场地设置在洪水、河流可能冲刷到的地段,影响河道行洪,可能造成决堤,危及公共安全,不符合现行《河道管理条例》的规定。因此,本条必须强制执行。

网址:www.jhpress.com
电话:400-670-9365

进入官方微信
刮涂层查真伪

S/N:1580242·645

9 158024 264500

统一书号:1580242·645

定　价:21.00元